D0835504

TOUT
L'HUMOUR
DU MONDE

TOUT L'HUMOUR DU MONDE

HACHETTE

L'HUMOUR,
CALVAIRE DES DÉFINISSEURS

L'HUMORISTE aurait un sort à peu près supportable s'il n'était sans cesse sommé de définir l'humour.

Rien ne me paralyse plus que d'avoir à répondre à la question: « Quelle est votre définition de l'humour ? » Autant me demander de définir l'électricité. Tout s'éteint en moi, et il se produit dans ma tête un tel vide qu'elle ne me semble remplie qu'à moitié. Cette sensation de vacuité, d'individu non meublé, m'est du reste trop familière : je me demande si, après tout, ce n'est pas là mon état normal. Il suffit, par exemple, qu'une maîtresse de maison me dise dès l'entrée : « Alors, cher ami, qu'est-ce que vous avez de drôle à nous raconter ce soir ? » pour qu'aussitôt tout ce que je pouvais avoir de drôle à l'esprit prenne la fuite. Et si, dans une de ces ventes de charité où l'auteur dédicace des œuvres sous les regards de dames chuchotantes (« *C'est curieux, je ne le voyais pas du tout avec cette tête-là !... Il n'est pas si laid que ça : on m'avait dit qu'il était affreux....* »), un de ces grands oiseaux endiamantés, face-à-main braqué, me demande : « Surtout, mettez-

moi quelque chose d'amusant ! » ma plume pèse
un kilo et, loin d'être visitée par le bon génie
de l'humour, devient derechef un centre de gravité. (Un jour, au cours d'une de ces impitoyables
manifestations, une dame cramoisie me tendit un
livre en disant : « C'est pour mon beau-frère,
qui est gendarme au Gabon.... Alors, mettez-lui
quelque chose d'amusant, il en a besoin, vous
savez ! » Je ne savais pas, mais me doutai.... Je
vis un gendarme kaki verbalisant dans la
brousse.... Ça ne doit pas être drôle tous les jours.
J'aurais bien voulu lui venir en aide, à cet homme,
mais il n'est pas si commode de trouver sur-le-
champ quelque chose qui fasse rire un gendarme,
et ce gendarme du Gabon me parut inaccessible.
En voulant faire exotique, je dus être banal.)

Tant il est vrai que la première condition pour
faire de l'humour, c'est de ne pas le faire exprès.

On ne fait pas rire sur commande. On ne rit
pas sur commande. Certains, parce qu'ils se
trouvent à deux heures du matin dans un dancing
et reçoivent des serpentins sur la figure, débor-
dent aussitôt d'allégresse. Pour ma part, le fait
d'être coiffé d'un chapeau pointu et obligé de
souffler dans une trompette me rend morose.
Serait-il donc vrai, comme certains le prétendent,
que les humoristes soient des gens tristes ? Pas
plus que les autres. Mais alors que l'on trouve
tout à fait normal que les autres se tiennent
tranquilles dans leurs fauteuils et parlent de la
situation en Mésopotamie après le dîner, on ne
pardonne guère à l'« humoriste » de ne pas faire

éclater de rire l'assistance toutes les deux minutes. Tristan Bernard, quand il était prié à dîner par des gens qui voulaient surtout pouvoir dire ensuite qu'ils avaient « eu Tristan Bernard », se montrait beaucoup plus Tristan que Bernard. Un soir, il ne desserra pas les lèvres jusqu'au milieu du festin. La consternation était générale, lorsque soudain il s'écria : « Passez-moi le sel, s'il vous plaît ! » Et tout le monde éclata de rire. C'est en tout cas ce que m'ont garanti des témoins. Je serais tenté de ne les croire qu'à moitié — ou de penser que Tristan Bernard avait beaucoup de chance : dans des circonstances identiques, il m'en faudrait bien davantage pour rompre la glace.

* *

Mais revenons à notre sujet, auquel, on le sent bien, je cherche à échapper. Puisque ce livre représente une somme d'humour et que je suis de nouveau sommé, cette fois par mon éditeur, de définir cette tournure d'esprit, l'humour, qu'est-ce donc ?

Pour répondre à la question, j'ai cherché à m'instruire moi-même. « La meilleure façon de se familiariser avec un sujet, disait Disraëli, est de prendre sa plume et de lui consacrer un livre. » Je n'ai donc pas hésité à compulser d'épais traités qui n'ont de comique que le titre et dont les chirurgiens-auteurs dissèquent l'humour en étudiant notamment ses rapports avec le rire. A la vérité, je ne suis guère réjoui par les thèses

de ces spécialistes qui, après avoir examiné le
rire chez le chien et les indigènes de la Haute-
Volta, en décèlent l'origine dans l'inhalation de
protoxyde d'azote. Quand j'apprends que le rire
a pour cause profonde la libération de nos instincts
sadiques subconscients et pour effet la contraction des zygomatiques accompagnée de spasmes
convulsifs, je deviens soucieux. Mais quand on
me démontre qu'à force de mettre de l'absurde
dans la logique l'humoriste est guetté par la
neurasthénie, je n'ai plus envie de rire du tout.

Cette démonstration me fut administrée,
naguère, chez un médecin. J'apprends toujours
beaucoup de choses chez les médecins. Moins
dans leurs cabinets que dans leurs salons d'attente.
Il y a là, à côté d'hebdomadaires jaunis de 1937,
d'étranges revues professionnelles qui m'aident
à combler mes lacunes. Ce jour-là, en quittant
mon praticien, si je n'étais guère fixé sur l'origine
de mes rhumatismes, j'en savais un bon bout
sur le rôle des filtres à quartz dans les transmis-
sions à bandes latérales indépendantes ; et surtout
j'avais beaucoup étendu ma notion de l'humour.
Pour appuyer sa théorie suivant laquelle la
neurasthénie menaçait l'humoriste, le chroniqueur d'une revue médicale rappelait que Swift
avait fini fou, établissait que le désespoir est la
maladie professionnelle de l'humoriste, et ne
tardait pas à conclure qu'une folie latente était
sans doute à l'origine de l'humour [1].

_____

1. Je fais ici allusion à l'une des meilleures thèses qui aient été
soutenues sur l'humour : celle de Robert Escarpit, professeur à la

Comment, après cela, l'humoriste le plus gai du monde ne serait-il pas soucieux ?

C'est en paranoïaque tout prêt à subir l'ablation de ma tumeur humoricienne que je pénétrai dans le cabinet du médecin.

« Vous paraissez bien préoccupé... », remarquat-il en me tirant de ma lecture.

On l'eût été à moins. Je le lui expliquai.

« Vous êtes fou ! » dit-il pour me tranquilliser.

Sur quoi il me demanda mon avis sur un film de Vittorio de Sica, et j'en oubliai presque de lui réclamer le sien sur mes douleurs.

« C'est ici, dis-je, que cela me fait mal.... Pensez-vous que ce soit une vertèbre ?

— Personnellement, répondit-il, je préférais *Pain*, *Amour et Fantaisie*. »

Il m'est décidément difficile d'avoir une conversation sérieuse avec un médecin. Peut-être à cause de ma mine ? Avec la mine que j'ai, disent-ils, ça ne peut pas être bien grave. Qui dira la détresse des gens condamnés à avoir toujours bonne mine ? Je suis sûr qu'une heure avant ma mort on m'aura trouvé une mine magnifique.

Je quittai songeur ce thérapeute chez lequel

Faculté des lettres de Bordeaux. C'est un fait que beaucoup d'humoristes ont eu des vies dramatiques, à tout le moins très assombries ou mouvementées. S'ils ne connurent pas tous la folie, ils fréquentèrent souvent la prison. Tel fut le cas de O'Henry, Oscar Wilde, et, plus récemment, Guareschi. L'enfance triste de celui-ci, comme celle de Saki et de nombre d'autres, ne les a pas empêchés d'écrire les choses les plus amusantes sur les enfants. James Thurber, qui perdit un œil en jouant aux flèches dans sa jeunesse, presque aveugle depuis vingt ans, a été et demeure l'un des plus féconds humoristes — et même dessinateur humoriste — des États-Unis.

j'avais reconnu les sources ténébreuses de l'humour. Mais je n'en demeurais pas moins perplexe. Je le suis encore.

Je veux bien croire qu'il existe des écrivains qui tiennent dans leur stylo la définition de l'humour. Moi non. Aussi étrange que cela paraisse à celui qui m'interroge, je ne possède pas cet article. J'ai beau, à l'énoncé de la question, fouiller mes petites cases. Elles demeurent vides. Un jour, à la radio, après avoir fait un rapide tour d'intérieur, j'ai répondu très vite, comme pour me débarrasser de la question : « L'humour... c'est une caricature de la tristesse. » Cela ne voulait rien dire. Pourtant les deux messieurs qui m'interviewaient en ont parlé pendant dix minutes, ce qui m'a permis de me reprendre et de passer à l'automobile.

Quelquefois, j'ai moins de chance. On n'est pas satisfait de mes échappatoires ; on me traque. Ah ! comme je souhaiterais alors être un de ces écrivains organisés qui :

    a) écrivaient des poèmes sur les bancs du lycée ;

    b) sont « montés » à Paris à dix-huit ans ;

    c) ont été influencés par Péguy et Apollinaire ;

    d) travaillent, comme les dictateurs, à l'aube. Ils entrent dans leur bureau à 7 heures du matin. On frappe. C'est l'inspiration. Ils la reçoivent de 7 à 11, la couchent sur un cahier d'écolier, puis vont faire leurs courses.

Ces gens-là possèdent à coup sûr dans leurs papiers la définition de l'humour. Hélas ! je ne suis pas comme eux. D'abord, je n'ai jamais écrit de vers au lycée. Ensuite, je n'ai pas eu la chance de « monter » à Paris à dix-huit ans ; j'y étais déjà. Si à cette époque j'ai été influencé, c'est plutôt par le tennis, les jeunes filles et *Le Bœuf sur le Toit*. Enfin, il suffit que je me dise : « Demain, je travaille de 7 à 11 » pour m'y mettre à 11 h 20 et éprouver vers midi une irrésistible envie de sortir s'il fait beau (il fait toujours beau quand on doit travailler).

Comment pourrais-je donc indiquer, à l'instar des écrivains organisés, ma méthode de travail ? Je me trouvais l'autre jour aux prises avec un expert qui, ayant engagé le combat par le rituel : « *Quelle est votre définition de l'humour ?* » me fit aussitôt chanceler en me décochant :

« Considérez-vous que l'humour doive être un acte gratuit ? »

Je lui expliquai qu'avec trois enfants il ne pouvait être question de ça.

« Enfin..., poursuivit-il, vous classez-vous parmi les intellectualistes ou les affectivistes ? »

En temps normal, pour peu que l'on demande si je me place sur un plan objectif ou subjectif, je reste carrément en plan : là, c'en était trop. Je dus paraître perplexe à l'expert.

Mais déjà il continuait. M'ayant révélé que le geste humoristique comportait deux phases — l'une intellectuelle critique, l'autre affective constructrice —, il conclut :

« En somme, votre humour est transcendantal : vous sécrétez une fausse naïveté qui suspend l'exercice d'une évidence sociale ! »

Je restai groggy. L'expert en profita pour pénétrer dans mon cerveau et y faire la lumière.

« Votre procédé, dit-il, crève les yeux : c'est exactement le contraire du postulat d'Euclide ! »

Après tout, c'est peut-être vrai. Comme j'ai totalement oublié ce qu'est le postulat d'Euclide (peut-être parce que je ne l'ai jamais su), il est tout à fait possible que je fasse le contraire sans m'en apercevoir.

A tout prendre, cette définition trop mathématique ne me satisfait pas. J'en proposerais volontiers une autre fondée sur la stricte observation des faits. Je rencontre souvent des gens qui m'avouent : « Je ne connais rien à la musique », ou « Je ne comprends rien à la peinture abstraite. » Il m'arrive aussi bien d'entendre des gens confesser qu'ils n'ont pas pour deux sous de jugeote, qu'ils ne savent pas faire une addition, ou même qu'ils sont complètement idiots. En revanche, je n'ai jamais rencontré quelqu'un qui admette : « Je suis totalement dépourvu d'humour. »

On peut donc penser que l'humour est le sixième sens de l'homme — et celui dont il souffre le plus d'être dépourvu.

***

Après tout, et pour en revenir à la question sur un plan plus sérieux, je n'étais peut-être pas si loin de la vérité quand me passa par la tête, sans y rester plus d'une seconde, cette image d'une caricature de la tristesse. Car c'est bien là, en ce domaine, le point le plus inquiétant. A l'exception d'un analyste tel que Scherer pour qui « la disposition d'esprit de l'humoriste est probablement la plus heureuse qu'on puisse apporter dans la vie », la plupart des experts sont d'accord pour donner à l'humour des origines souvent inquiétantes, toujours tristes.... Loin de partager l'optimisme de Scherer, Taine décelait dans l'humour « la plaisanterie d'un homme qui est rarement bienveillant et jamais heureux ». Mark Twain, ce maître de l'humour, estimait que la source secrète de l'humour n'était pas la gaieté, mais la tristesse. Chris Marker définit l'humour comme la politesse du désespoir. Et un Allemand a écrit : « L'humour est le baiser que donnent la joie et la douleur. Il a dans son blason une larme souriante, il est coiffé d'une marotte garnie d'un crêpe; il est l'étincelle qui jaillit entre deux pôles de noms contraires : sentimentalité et raillerie. La joie et le chagrin s'étant rencontrés dans la nuit profonde d'une forêt s'aimèrent parce qu'ils ne se connaissaient pas — et il leur naquit un fils, qui était l'humour. »

Tout cela n'est pas bien gai. Il est étrange de constater combien souvent les mots *chagrin*, *désespoir*, *tristesse* reviennent sous la plume des définisseurs. Il n'y a pas de fumée sans feu — et, tout compte fait, peut-être pas d'humour sans mélancolie. Parlant des Anglais, Mme de Staël écrivait : « Il y a de la morosité, je dirais presque de la tristesse, dans leur gaieté », et l'on ne saurait dire que cette nation — à ce point imprégnée d'humour qu'il s'y publie des albums traitant de l'humour chez les animaux... — soit un pays joyeux.... C'est ce qui incitait un jour le major Thompson à écrire de l'humour qu'il était une plante gaie arrosée de spleen. Et qui m'inciterait à écrire que l'humour est le fils (dissipé) de la mélancolie.

Si l'on dressait un jour un planisphère de l'humour, on serait surpris de constater que les « blancs » les plus vastes couvrent précisément les pays qui ont la réputation d'être les plus enjoués ou les plus ensoleillés. Il m'est arrivé de parler des isothermes du zygomatique en notant que, dans les pays tropicaux, les gens sont beaucoup moins portés à l'humour que dans les autres. Stephen Leacock, un des plus grands humoristes de tous les temps, était Canadien, et Dieu sait si le Canada ne passe pas pour un pays où l'on plaisante. Plus l'on « descend » en Italie, plus les regards se chargent de drame, plus l'humour devient tragique. L'Espagne ne manque pas d'humour, sans doute, mais c'est le plus souvent un humour triste, dramatique, amer. Il en est souvent de même dans les pays d'Amérique latine. Un humoriste mexicain veut-il expliquer pourquoi son chapeau est trop petit ? « Parce que le défunt qui le portait avant moi avait la tête moins grosse », écrit-il. Les grands courants de l'humour proviennent de deux sources qui doivent bien peu au soleil : les Iles Britanniques et l'Europe centrale. Quand ces deux courants se rencontrent, leur croisement donne des résultats excellents. Le nombre d'humoristes anglo-saxons originaires d'Europe centrale est considérable. L'un des meilleurs humoristes de notre époque, George Mikes, est un Hongrois né à Budapest et naturalisé Anglais.

On serait donc enclin à formuler une loi étrange :

— quand l'humoriste a sous les yeux le déroulement d'une vie sociale conformiste, snob, solennelle, traditionaliste, souvent sinistre, il écrit par réaction les choses les plus drôles du monde (Angleterre, États-Unis, Canada, Europe centrale) ;

— quand l'humoriste a sans cesse sous les yeux le spectacle de l'exubérance, de la vie gaie, de mœurs légères, il écrit par réaction des choses tristes, et son humour devient facilement tragique (Espagne, Amérique latine, Italie).

En fin de compte, on le conçoit : il y a cent définitions possibles de l'humour. Voilà pourquoi il est si difficile d'en retenir une seule. Stephen Leacock a écrit : « La meilleure définition que je connaisse de l'humour est l'aimable contemplation des incongruités de la vie — et l'expression artistique qui en découle. » Et il ajoutait : « Je pense que c'est la meilleure, parce que c'est moi qui l'ai trouvée. » Excellente définition. Elle a

cependant le défaut des autres : elle est partielle.
Mais elle met l'accent sur une des caractéris-
tiques fondamentales de l'humour : la gentillesse. On peut écrire tant de choses cruelles en
restant gentil.... Même féroce, l'humour digne de
ce nom reste aimable. C'est la pilule dorée qui
fait tout avaler. Carlyle disait : « L'esprit rit des
choses. L'humour rit avec elles. » Rien de plus
juste. Esprit, ce mot de Capus répondant à quelqu'un qui lui avait annoncé « Untel est mort....
On ne sait même pas de quoi ! » : « Ça n'a pas d'importance.... On ne savait même pas de quoi il
vivait ! » Esprit, cette flèche de Metternich murmurant devant un cadeau de fiançailles envoyé
par Napoléon à Marie-Louise : « Le présent vaut
mieux que le futur. » Esprit génial, mais dont un
tiers fait les frais. En revanche, lorsque Saki
écrit : « Je vis tellement au-dessus de mes moyens
que, pour ainsi dire, nous vivons à part », qui
souffre ? Et qui souffre lorsque Mark Twain
confie : « Cesser de fumer est la chose la plus
aisée qui soit : j'en sais quelque chose, je l'ai fait
un million de fois » ? Il est vrai, du reste, qu'un
homme peut avoir autant d'esprit aux dépens
des autres que d'humour à son détriment. Oscar
Wilde, qui disait de son contemporain Frank
Harris : « Il est invité partout, une fois » avouait
aussi : « Je peux résister à tout, sauf à la tentation. » Il n'en demeure pas moins qu'à l'encontre
de l'esprit, si souvent dirigé contre les autres,
l'humour s'exerce surtout aux dépens de soi-
même. Le premier à en souffrir, c'est l'auteur.

Faut-il voir là une marque de grande modestie ? Je serais très heureux, pour ma part, de répondre par l'affirmative, mais la vérité, qui m'oblige si souvent à dire ce que je ne veux pas, me contraint à une réponse très différente. Cette aptitude à rire de soi relève autant de la modestie que du complexe de supériorité[1]. George Mikes, qui a psychanalysé l'âme anglaise comme seul peut le faire un *alien* doué de l'humour le plus fin, l'a fort bien fait remarquer au sujet des Anglais eux-mêmes : ces champions quotidiens de l'humour sont assez modestes pour rire de leurs travers et assez immodestes pour montrer au monde entier qu'ils peuvent, eux, se le permettre.

Mais l'humour, cela peut être bien autre chose. Tellement d'autres choses !

Cela peut être une philosophie souriante qui devient forcée dès qu'elle n'est plus inconsciente, dangereuse dès qu'elle s'aventure hors de la vraisemblance.

Cela peut être, selon Mme de Staël, une forme d'esprit qui amuse sans le vouloir et fait rire sans avoir ri.

Cela peut n'être qu'un simple choc de mots, la pirouette d'un invisible polichinelle sorti de l'encrier, l'effet d'une surprise. Ainsi Alphonse Allais écrivant : « Il faut vous dire que j'avais perdu

---

1. Il n'est pas sans intérêt de rappeler ici la discussion qu'eurent un jour Charlie Chaplin et Harold Lloyd. Celui-ci ayant déclaré que la source du comique résidait dans un phénomène mécanique, Chaplin lui répondit qu'il la voyait plutôt dans un sentiment de supériorité.

tout sens moral à la suite d'une chute de cheval. »

C'est avant tout, à mon sens, une disposition d'esprit qui vous permet de rire de tout sous le masque du sérieux. Traiter drôlement de choses graves et gravement de choses drôles, sans jamais se prendre soi-même au sérieux, a toujours été le propre de l'humoriste. Grâce à quoi il peut, très souvent, tout dire sans avoir l'air « d'y toucher ». En suggérant aux Anglais de manger les petits enfants des Irlandais accommodés de choux, Swift plongea le Cabinet de Saint-James dans le plus cruel embarras. Souvent des économistes, des sociologues, des philosophes m'ont dit combien ils regrettaient de ne pouvoir — sous peine de perdre tout crédit auprès de leur audience — traiter les questions les plus épineuses avec plus d'humour que de gravité. Et André Siegfried lui-même m'a écrit : « Il y a à mon avis deux instruments de précision dans la pénétration psychologique : la poésie et l'humour. »

L'humour ?

L'humour, c'est Bernard Shaw constatant qu'il y a des fous partout, même dans les asiles.

C'est Storm Petersen estimant qu'il est difficile de prévoir quoi que ce soit, mais surtout l'avenir.

C'est Mark Twain remarquant : « L'homme qui est pessimiste avant quarante-huit ans en sait trop. Celui qui est optimiste après quarante-huit ans n'en sait pas assez. »

C'est Oliver Goldsmith confessant : « J'ai toujours le dessus quand je discute seul. »

C'est Mencken expliquant : « Les hommes ont un bien meilleur temps que les femmes : d'abord ils se marient plus tard ; ensuite, ils meurent plus tôt. »

C'est William Gilbert écrivant : « Il ne faisait rien de particulier, mais il le faisait très bien. »

C'est Mme de Staël disant : « Je suis heureuse de n'être pas un homme, car, si cela était, je serais obligé d'épouser une femme. »

C'est l'actrice Anna Magnani répondant à un reporter qui lui demandait quelles avaient été les dix plus belles années de sa vie : « Entre vingt-huit et trente ans. »

C'est O'Malley définissant le gentleman comme quelqu'un qui ne connaissait pas l'histoire que vous racontez.

C'est Helen Rowland calculant : « Une mère met vingt ans à faire de son fils un homme. Une autre femme en fait un fou en vingt minutes. »

C'est enfin une attitude devant la vie qui ne capitule pas devant la mort.

C'est Oscar Wilde s'écriant sur son lit de douleur, à la vue d'une note d'honoraires : « Je meurs nettement au-dessus de mes moyens. »

C'est Sacha Guitry ouvrant les yeux après une intervention chirurgicale et murmurant à son médecin : « Ah ! professeur.... J'ai bien failli vous perdre ! »

C'est Francis de Croisset soupirant avant de s'éteindre : « Je m'ennuie déjà ! »

C'est Mark Twain déclarant, victime d'une

fausse nouvelle : « L'annonce de ma mort a été grandement exagérée. »

C'est ce cher vieil oncle qui, à quatre-vingt-deux ans, pour célébrer le dixième anniversaire d'une grave opération, rendit visite à son chirurgien, et comme celui-ci s'exclamait : « Vous vous portez comme le Pont-Neuf ! Revenez me voir dans dix ans ! » lui répondit : « Si je suis en retard, ne m'attendez pas ! »

Je mets au défi le plus habile définisseur du monde de faire tenir en une définition de trois lignes, voire de six, tout ce que contiennent ces quelques phrases qui, pour être à mes yeux de l'humour, ne résument pas, il s'en faut, tout l'humour du monde. La meilleure réponse que je puisse faire à la terrible question : « Qu'est-ce que l'humour ? » est ce livre lui-même. Si, en le refermant, vous ne savez pas ce qu'est l'humour, j'aurai failli à ma tâche. Mais si je parviens à vous communiquer le plaisir que j'ai ressenti à la lecture de ces pages, alors j'aurai gagné mon pari : vous présenter le livre le plus drôle que je n'ai pas écrit.

Cet ouvrage, j'en suis malheureusement certain, n'échappera pas à l'étiquetage « anthologie ». Mot qui sent le muséum et me glace autant que le rhinocéros à narines cloisonnées. Une anthologie de l'humour exigerait la présence d'Aristophane, de Cervantes, de Stern et de bien d'autres que l'on ne trouvera pas ici. Tel n'était pas mon propos. J'ai voulu, hors des sentiers battus, vous faire découvrir les textes des écrivains étrangers contemporains, pour la plupart inconnus en France, qui m'ont fait rire le plus. En saluant au passage certains aînés, tels Stephen Leacock ou Saki, que je vénère comme des maîtres. Et à la lecture desquels, souvent, je me surprends à penser : « Quel dommage que je n'aie pas trouvé ça avant lui ! »

L'avouerai-je ? J'ai beaucoup hésité à publier ce livre. Non par crainte qu'il ne fasse pas rire. Mais par peur qu'il ne fasse rire trop.... Dans mon métier comme dans les autres, on « se défend ». Malgré toute sa grandeur d'âme, l'écrivain le plus généreux du monde ne donne pas sans réticence son appui public à un rival. Le plus souvent, il attend qu'il soit mort. En faire valoir vingt-six à la fois, et presque tous vivants [1], me paraît vraiment méritoire. Merci. J'espère bien du reste qu'ils ne vous emballeront pas tous. En ce cas, je n'aurais plus qu'à me retirer.

C'est ce que je fais — momentanément — pour vous laisser savourer sans moi ce que j'ai longtemps savouré sans vous.

PIERRE DANINOS.

Je dois des remerciements particuliers à l'équipe de défricheurs-traducteurs sans le précieux concours desquels cet ouvrage n'aurait pu être composé : à Marie-Pierre Dalbène pour le domaine anglo-saxon, à Melita Goebel pour l'Allemagne,

---

1. Cinq de mort récente.

à Chang Fu-jui pour la Chine, à Jacques-Louis Ratel pour le Danemark, à Robert Escarpit, José de Pinedo Borie et Odette Sesmero pour l'Espagne, à Ladislas Gara pour la Hongrie, à Juliette Bertrand, Camilla Cederna et Noël Felici pour l'Italie, à Robert Y. Horiguchi pour le Japon, au docteur Silvio Zavala pour le Mexique, à Nathalie Gara pour la Pologne, à Mathilde Pomès pour le Portugal, à Pierre Naërt et Torben Nielsen pour la Suède et la Finlande, à Nathalie Reznikoff pour l'U. R. S. S.

On pourra s'étonner de constater dans ce livre l'absence de plusieurs pays ci-dessus mentionnés (quant à la France, un livre ultérieur lui sera consacré). Ce n'est pas que ces pays manquent d'humour — chaque nation a le sien — mais il en est beaucoup dont l'humour, purement national, ne saurait être apprécié au-delà de leurs frontières. Je me suis attaché à ne publier ici que des textes d'un humour « universel » ne nécessitant aucune note explicative. Que le Brésil, le Mexique, si chers à mon souvenir, la Chine et d'autres me pardonnent s'ils ne sont pas représentés. Mais quand on lit *Oui* (1) *je viens dans son temple* (2) *adorer l'Éternel* (3), on n'a plus envie de rien adorer....

Je remercie également les services culturels des missions diplomatiques, le Département de Bibliographie de l'Unesco, le Panstwowy Instytut Wydawniczy de Varsovie, l'Indian Thought Publication, le Reader's Digest de Pleasantville, et tous ceux — notamment Gert Weber (Allemagne), Louis Erdos (Autriche), Ada Kofoed et Helge Wamberg (Danemark), Francisco Perez Gonzalez (Espagne), Sandor Maller (Hongrie), Padmanabh Pendsay (Inde), Jaime Torres-Bodet (Mexique), Ventura Garcia Calderon et Max de la Fuente Locker (Pérou), Peo Nordin (Suède), Wladimir Erofeviev et Igor Polikarpov (U. R. S. S.) — qui, par leur aide, ont facilité de longues recherches et les accords nécessaires.

Enfin, sans parler des nombreux auteurs qui m'ont apporté leur collaboration avec le plus cordial empressement, je tiens à manifester ma reconnaissance aux éditeurs étrangers [1] et aux agents littéraires Odette Arnaud, Marie-Louise Bataille, Jenny Bradley, Suzanne Hotimsky, Michel Hoffman, Erich Linder, Edmond Lutrand, Stephan Reiner, qui, chacun pour leur part, ont contribué à la réalisation d'un projet qui m'était cher.

P. D.

1. On trouvera à la fin du volume les références éditoriales de chaque texte avec leur copyright.

Hans Reimann

Hans Reimann, né à Leipzig en 1889, aujourd'hui résidant à Hambourg, a bien souvent montré ses dons d'observateur et d'humoriste au théâtre et au cabaret. Il est également l'auteur de plusieurs romans.

LE BRISE-NERFS

C'ÉTAIT un garçon de quatre ans ; il s'appelait Paulo. Je ne sais plus à quelle gare il monta dans notre compartiment de troisième classe, mais il tirait derrière lui une dame aisée d'allure bourgeoise. Elle sentait très bon et possédait — comme je devais avoir bientôt l'occasion de le constater — un timbre de voix ravissant.

Le petit garçon, s'étant confortablement installé sur

ma serviette, commença à poser des questions, mille questions. Avec un sans-gêne remarquable et en criant, il disait les choses les plus intimes ou les plus invraisemblables. Je n'étais probablement pas le seul voyageur à me demander au bout de quelques minutes comment la dame parfumée n'avait pas encore grossi les effectifs des asiles d'aliénés. Peut-être était-elle entraînée. A coup sûr, elle était l'esclave soumise du petit garçon dont elle connaissait les qualités cachées à nos yeux, sinon à nos oreilles.

La plus grande part de leur conversation s'est effacée de ma mémoire. Mais ce qu'ils dirent peu de temps avant de descendre me frappa tellement que je me rappelle encore chaque mot de leur dialogue.

« Non, plus aujourd'hui, Paulo », dit la dame, croyant en avoir terminé.

Pause.

Puis le garçon, vif et sonore :

« Alors, tante Lucie, aujourd'hui, c'est la même chose qu'hier ?

— Pourquoi cette idée, Paulo ?

— Parce qu'hier tu as dit qu'aujourd'hui, c'est demain.

— Non, Paulo. Hier j'ai parlé d'aujourd'hui. Si j'ai dit demain, c'est parce qu'hier aujourd'hui n'était pas encore aujourd'hui, mais demain... vu d'hier.

— Alors, tante Lucie... hier, c'est la même chose que demain ?

— Non, Paulo, aujourd'hui, c'est aujourd'hui !

— Ah ! oui... mais demain ?

— Demain, Paulo, c'est demain ! Seulement demain on dira que c'est aujourd'hui. Exactement comme aujourd'hui, vu d'hier, c'était demain.

— Alors, demain, c'est la même chose qu'aujourd'hui ?

— Non, Paulo. Demain, si on parle d'hier, on dira que

c'était avant-hier. Et après-demain on dira d'aujourd'hui que c'était avant-hier. Le jour suivant, Paulo, c'est toujours demain. Mais quand il est arrivé, c'est aujourd'hui.

— Et quel jour c'est, aujourd'hui ?

— Aujourd'hui, c'est jeudi.

— Mais jeudi, c'était la semaine dernière !

— Il y a un jeudi chaque semaine, Paulo.

— Un mercredi aussi ?

— Un mercredi aussi, Paulo.

— Alors, mercredi et hier, c'est la même chose ?

— Oui, Paulo, mais aujourd'hui seulement. Demain, jeudi, ce sera la même chose qu'hier. Et comme demain c'est vendredi, on dira que c'est aujourd'hui. De même samedi, c'est après-demain... mais samedi, c'est aussi aujourd'hui quand le samedi est arrivé. Seulement, vu d'aujourd'hui, samedi, c'est après-demain....

— Le dimanche, alors, ça peut aussi être aujourd'hui ?

— Bien sûr, Paulo, quand c'est dimanche. Chaque jour peut être aujourd'hui !

— Demain aussi ?

— Demain aussi.

— Alors, demain sera aujourd'hui ?

— Mais oui, Paulo, aujourd'hui c'est aujourd'hui, et demain, c'est demain qui sera aujourd'hui. »

A cet instant, un monsieur d'un certain âge, qui avait somnolé dans son coin, commença à hurler :

« Et ici nous sommes dans un train, et si vous continuez je tire la sonnette d'alarme ! »

Cette crise de colère ne produisit pas l'effet que l'on aurait pu escompter. Sans être le moins du monde intimidé, le petit garçon demanda :

« Tante Lucie, que fait le train, la nuit ? Il dort ?

— Non, Paulo, répondit la tante qui avait conservé

elle aussi tout son calme. Pour dormir, il faut avoir des yeux.

— Ah ? Et le train, il n'en a pas ? Qu'est-ce qu'il a, alors ?

— Il a des roues, Paulo.

— Et les bicyclettes, elles ont des roues ?

— Oui, bien sûr.

— Alors, les Pfeifer, qui ont des bicyclettes, ils dorment quand même ? »

Nous n'avons jamais su si les Pfeifer dormaient, car la dame et le petit garçon nous quittèrent. Tous les voyageurs soupirèrent puis s'indignèrent. A tort, sans doute. Car enfin... qui sait si Schopenhauer, Kant et Spinoza n'ont pas commencé de la même manière ?

KURT TUCHOLSKY

Écrivain tendrement satirique, brillant chroniqueur, Kurt Tucholsky, né en 1890 à Berlin, vit ses livres brûlés en place publique en 1933. Il se donna la mort en 1935, alors qu'il était exilé en Suède. Il avait fait de longs séjours à Paris et consacré de nombreux essais, des poèmes, à la France. Ses livres sont aujourd'hui réédités avec succès en Allemagne.

LA PUCE

D ANS le département du Gard — oui, là où se trouvent Nîmes et le pont du Gard —, la receveuse d'un petit bureau de poste, demoiselle d'un certain âge, avait la fâcheuse habitude d'ouvrir les lettres qui passaient par ses mains et de les lire.

Tout le monde le savait. Mais en France certaines institutions — comme les concierges et les P. T. T. — sont tabou ; il ne faut pas y toucher, on n'y touche pas.

La demoiselle continuait donc à lire les lettres, et ses indiscrétions engendraient souvent la discorde parmi les habitants.

Dans ce même département, il y avait un beau château qu'habitait un comte fort intelligent.

Il peut arriver que les comtes soient intelligents, en France. Celui-là conçut un jour un plan qu'il mit aussitôt à exécution.

Devant un huissier qui, sur sa demande, s'était rendu au château, le comte écrivit à l'un de ses correspondants une lettre ainsi libellée :

> *Cher Ami,*
>
> *Sachant que la curiosité malsaine de la préposée aux P. T. T., Mlle Émilie Dupont, ne connaît pas de bornes et que cette personne ouvre toutes nos lettres pour les lire, je t'envoie ci-inclus, afin de la guérir une fois pour toutes, une puce vivante. Je te serre cordialement la main.*
>
> *Ton*
>
> (Signé) Koks.

Le comte cacheta soigneusement la lettre en présence de l'huissier.

Mais il n'avait inséré aucune puce dans l'enveloppe.

Lorsque la lettre arriva à destination, il y en avait une.

KURT TUCHOLSKY

LA FAMILLE

> « Les Grecs, qui savaient toute la valeur
> du mot « ami », ont cru bon, pour désigner
> la famille, d'utiliser le superlatif d'« ami » :
> c'est là une chose que je n'ai jamais pu
> comprendre. »
>
> NIETZSCHE.

AU SIXIÈME JOUR de la création, Dieu jeta un dernier coup d'œil sur son œuvre. Tout lui sembla au point. Il est vrai que la famille n'existait pas encore. Son optimisme devait, par la suite, se révéler prématuré. Aujourd'hui, quand l'homme rêve de retrouver le paradis perdu, il semble avant tout inspiré par un désir ardent de pouvoir vivre une fois, une seule fois, sans famille.

Au fait, la famille, qu'est-ce au juste ?

La famille *(familia domestica communis)* se rencontre dans les pays d'Europe à l'état sauvage et demeure généralement dans cet état. Elle est le plus souvent composée d'un nombre assez élevé de personnes de sexes différents qui se donnent pour tâche principale de mettre leur nez dans les affaires des autres. Quand la famille commence à prendre des proportions importantes, on l'appelle « les parents », ou « l'entourage ».

La famille apparaît généralement sous la forme de masse hideuse et compacte ; en période de révolution, cette masse court constamment le danger d'être fusillée, du fait qu'elle refuse avec obstination de se laisser disperser. Cela n'empêche d'ailleurs pas les membres de la tribu de se détester cordialement entre eux. Tous sont victimes d'un virus extrêmement actif qui ronge les centres de la susceptibilité : c'est pourquoi ils sont perpétuellement, à des degrés divers, vexés.

La tante que l'anecdote populaire se plaît à dépeindre froissée et assise solitaire sur le bord d'un canapé est un mythe : d'abord, elle n'est jamais assise toute seule sur le canapé ; ensuite, si elle se montre froissée, c'est non seulement assise, mais couchée, debout, dans le métro — partout.

Les membres de la famille savent tout les uns des autres : quand le petit Charles a eu la scarlatine ; si Inge est contente de son tailleur ; pourquoi Erna veut épouser un électricien ; comment Jenny s'est décidée, après une dernière explication avec son mari, à renoncer au divorce. Les nouvelles de ce genre se transmettent généralement le matin entre onze heures et midi, par le truchement d'un pauvre appareil de téléphone sans défense. La famille, qui sait tout, désapprouve tout par principe.

La famille est très exclusive. Ce que le plus jeune des neveux fait pendant ses heures de loisir, elle le sait et le passe sous silence. Mais que le malheureux garçon s'avise de vouloir épouser une inconnue — quelle catastrophe ! Quarante yeux hostiles examinent la pauvre victime, vingt nez pointent en l'air, flairant un danger : « C'est une quoi ? Est-elle vraiment bien ? Et digne de cet honneur ? » Du côté de la famille de la demoiselle, c'est la même chose. Les uns et les autres sont convaincus de descendre d'un cran dans l'échelle sociale.

Si l' « étranger » est malgré tout admis au sein de la famille, la main protectrice de celle-ci le soutiendra fermement. En revanche, l'intrus sera tenu de déposer ses offrandes sur l'autel du clan. Les fêtes, toutes les fêtes, doivent lui être sacrifiées, cela va de soi. Ce n'est là un plaisir pour personne, tout le monde est d'accord, mais comme il est impossible de ne pas passer les fêtes en famille sous peine de graves sanctions, tout le monde plie sous le joug.

Les tribus indiennes vivent sur le pied de guerre, ou fument ensemble le calumet de la paix. La famille, elle, sait très bien faire les deux choses à la fois. Pour y parvenir, elle a, de préférence, recours aux réunions de famille qui favorisent les disputes dans la concorde.

Le grand sociologue Georg Simmels l'a noté dans un de ses ouvrages : personne ne saurait vous infliger des blessures aussi cuisantes qu'un membre de la famille, celui-ci sachant exactement où la victime est particulièrement vulnérable. Malgré quoi les membres du clan demeurent très proches les uns des autres. Jamais un étranger ne se permettrait la liberté que ce jeune homme prend avec sa belle-sœur. N'est-on pas en famille ?

D'ailleurs aucun représentant de la famille n'a jamais pris un autre membre tout à fait au sérieux. Si Goethe avait eu une vieille tante, elle serait sans doute allée lui rendre visite à Weimar — pour voir ce qu'il faisait, ce petit.... Elle aurait de temps en temps sorti un réglisse de son réticule et serait finalement partie fâchée. C'est sans doute parce que Goethe n'a pas eu de tante de ce genre qu'il a pu écrire son *Faust*. Du reste, la tante aurait trouvé que l'œuvre manquait de tenue.

Pour vitupérer la famille, ses étouffements, son escla-
vage, rien de tel que les rejetons de la dernière génération. Ils iront jusque dans des livres raconter comment
la famille les a fait souffrir. Après quoi, ils ne tarderont
pas, loin de la famille haïe, à en fonder une bien à eux,
qui deviendra l'image de l'autre.

Le jour où tu monteras au ciel, tu seras sans doute
accueilli par un ange adorable qui s'écriera en se balan-
çant doucement sur une branche de palmier :

« Comme je suis heureux de vous voir ! Nous sommes
cousins par les X..., non ? »

Tu reculeras, effrayé. Feras demi-tour. Te précipi-
teras en enfer.

Et retrouveras là les autres, tous les autres....

S<small>TEPHEN</small> L<small>EACOCK</small>

> *Canadien né en Angleterre, Stephen Leacock fut d'abord maître d'école, puis professeur d'économie politique à l'Université McGill de Montréal. Rien ne semblait devoir le consacrer comme humoriste lorsqu'en dépit de l'avis de ses meilleurs amis il publia son premier livre de sketches. Ce fut un succès. Pendant trente-quatre ans, il publia chaque année un ouvrage. Il est mort en 1944.*

A, B ET C
OU
L'ÉLÉMENT HUMAIN EN MATHÉMATIQUES

L<small>ORSQUE</small> l'écolier s'est familiarisé avec les quatre premières règles de l'arithmétique, et débattu tour à tour avec des sommes d'argent et des fractions, il se heurte à l'étendue démesurée des questions connues sous le nom de problèmes. Ce sont de courts récits d'aventure et d'action dont on a coupé la fin, et qui, bien que possédant un air de famille très marqué, ne sont pas dépourvus d'un certain romanesque.

Les protagonistes de l'intrigue sont trois individus appelés A, B et C. La question se présente généralement sous cette forme :

« A, B et C accomplissent un certain travail. A travaille en une heure autant que B en deux ou C en quatre. Combien de temps ont-ils travaillé ? »

Ou encore :

« A, B et C creusent un fossé. A creuse autant en une heure que B en deux, et B creuse deux fois plus vite que C. Combien de temps... » etc.

Ou bien aussi :

« A parie qu'il peut marcher plus vite que B ou C. A marche une fois et demie plus vite que B, et C n'est qu'un médiocre marcheur. Trouvez la distance.... »

Et ainsi de suite.

Les occupations de A, B et C sont nombreuses et variées. Dans les vieux livres d'arithmétique, ils se contentaient de faire « un certain travail ». On a jugé cette façon de présenter les faits évasive et sournoise autant que dépourvue de charme. La mode s'est donc établie de définir le travail des trois personnages avec plus de précision et de leur faire creuser des trous, empiler des stères de bois, disputer des courses à pied et des régates. Quelquefois ils entrent dans les affaires et fondent des sociétés, possédant, avec cette vieille manie du mystère, un « certain capital ». Toujours et avant tout, ils sont en plein mouvement. S'il est fatigué par une épreuve de marche, A monte à cheval ou emprunte une bicyclette et fait la course avec l'un de ses associés moins favorisé qui demeure à pied. Tantôt ils luttent de vitesse en locomotive ; tantôt ils rament ; ou bien le goût de l'ancien les prend et ils louent des diligences. Quelquefois l'eau les tente : ils nagent. S'ils se livrent à un véritable travail, ils préfèrent alors pomper de l'eau dans des citernes, dont deux ont le fond percé alors que la troisième est étanche. A, naturellement, a la bonne ; il s'adjuge aussi la meilleure bicyclette, la meilleure locomotive, et le droit de nager dans le sens du courant. Quoi qu'ils fassent, nos trois héros parient de l'argent, ayant chacun le goût du jeu. A gagne toujours.

Pour celui qui a suivi l'histoire de ces hommes à travers d'innombrables pages de problèmes ; qui les a vus, pendant leurs heures de loisir, batifoler avec des stères de bois ; qui est resté témoin de leurs efforts pour remplir des citernes percées, A, B et C deviennent plus que de simples symboles : ils apparaissent comme des êtres de chair et de sang, avec leurs passions, leurs ambitions, leurs aspirations. Examinons-les tour à tour.

A est un pur sang plein de feu, d'un tempérament énergique, violent et résolu ; il plie les autres à sa volonté. C'est un homme de grande force physique, d'une endurance phénoménale. On l'a vu marcher quarante-huit heures d'une traite et pomper quatre jours de suite. Sa vie est pénible, pleine de périls. Une erreur dans ses calculs peut l'obliger à creuser quinze jours sans dormir. L'omission d'une décimale peut le tuer.

B est un garçon tranquille, accommodant. Terrifié par A qui le brime, il est très gentil, fraternel même, pour le petit C, le minus. Il reste d'autant plus sous la coupe de A qu'il a perdu tout son argent au jeu.

Le pauvre C est un petit bonhomme frêle, au visage pâle. A force de marcher, de creuser, de pomper, il a compromis sa santé et détraqué son système nerveux.

Sa vie sans joie l'a poussé à boire et à fumer plus que de raison ; sa main tremble quand il pioche. Il n'a pas la force de travailler autant que les autres ; en fait, comme l'énonce fort bien le professeur Hamlin Smith : « *A peut faire plus de travail en une heure que C en quatre.* »

*

La première fois que j'ai vu ces hommes, c'était un soir après les régates. Ayant beaucoup ramé, ils étaient tous trois en nage — mais ce qui transpirait le plus clairement de cette affaire, c'était que A pouvait ramer en une heure autant que B en deux, ou que C en quatre. B et C étaient rentrés épuisés. C, au surplus, avait une mauvaise toux.

« Ne t'en fais pas, mon vieux, dit B à C, je vais t'installer sur le sofa et te faire du thé chaud. »

A ce moment précis, A entra en coup de vent et hurla :

« Hamlin Smith m'a montré trois citernes dans son jardin et il dit que nous pouvons y pomper de l'eau jusqu'à demain soir. Je parie que je vous bats tous les deux. Venez ! Vous pouvez d'ailleurs très bien pomper en tenue de rameurs.... Ah ! C, je te signale que ta citerne fuit un peu.... »

J'entendis B grommeler que c'était bien dommage et que C n'en pouvait plus. Mais ils y allèrent, et aussitôt je déduisis, au seul bruit d'eau, que A pompait quatre fois plus vite que C.

Pendant des années après cette affaire, je continuai à les voir dans la ville, toujours aussi occupés. Je n'ai jamais entendu dire que l'un d'eux eût mangé ou dormi. M'étant absenté pendant une longue période, je les perdis de vue. A mon retour, je fus surpris de ne pas trouver A, B et C vaquant à leurs occupations habituelles ; renseignements pris, je sus que celles-ci avaient été dévolues à N, M, et O, et que certaines personnes employaient pour les travaux algébriques quatre étrangers appelés Alpha, Bêta, Gamma et Delta.

Un jour, par hasard, je croisai le vieux D qui binait au soleil son petit jardin. D est un vieux journalier appelé à l'occasion pour aider A, B et C.

« Si je les connaissais, monsieur ? me répondit-il.
Mais quand je les ai connus, ils n'étaient que de petits
binômes, pas plus hauts que ça ! Monsieur A était bon
garçon, c'est sûr, mais j'ai toujours dit que pour la
gentillesse il n'y en avait pas comme monsieur B. On en
a abattu de la besogne ensemble, monsieur ! bien que je
n'aie jamais fait de courses avec eux, mais juste le travail ordinaire, quoi.... Je suis un peu trop vieux et arthri-
tique pour ça maintenant, monsieur. Tout ce que je
peux faire, c'est bricoler un peu dans le jardin, faire
pousser quelques logarithmes, élever un commun déno-
minateur ou deux.... Mais M. Euclide m'emploie toujours pour ses postulats.... »

Le bavardage du vieillard m'apprit la triste fin de mes
anciennes connaissances. Peu après mon départ de la
ville, C était tombé malade. A et B avait ramé sur la
rivière à la suite d'un pari ; pour les rattraper, l'infor-
tuné C avait couru sur la berge et, à bout se souffle,
s'était assis en plein courant d'air. Rentrés à la maison,
A et B trouvèrent C au lit, déprimé. A le secoua rude-
ment et dit :

« Debout, C ! Nous allons empiler du bois ! »

C avait l'air tellement épuisé et misérable que B
ne put s'empêcher d'intervenir :

« Écoute, A, je ne supporterai pas ça ! Tu vois bien
qu'il n'est pas en état d'empiler du bois ce soir ! »

C sourit faiblement et dit :

« Peut-être pourrai-je en empiler un peu assis dans
mon lit ?... »

B, très inquiet, intervint de nouveau :

« Tu entends ça, A ? Je vais chercher un médecin ; il
est mourant ! »

A s'emporta et répondit :

« Et le médecin, avec quel argent le paiera-t-il ?

— Je saurai, dit B fermement, réduire ça à sa plus simple expression ! »

C aurait pu avoir la vie sauve si l'on n'avait pas commis une erreur de dosage dans un médicament. Celui-ci se trouvait dans une parenthèse à la tête du lit. Par mégarde, l'infirmière le sortit de sa parenthèse sans changer son signe. Après cette erreur fatale, C sombra. Le lendemain soir, tandis que l'ombre envahissait la petite chambre, il apparut à tous que la fin était proche. Je crois que A lui-même finit par être ému ; tête basse, il essayait vaguement d'engager des paris avec le médecin sur les ultimes battements du cœur de son compagnon. C murmura dans un souffle :

« A, je sais que je n'en ai plus pour longtemps....

— Combien de temps environ, mon vieux ? demanda A.

— Je ne sais pas, mais je m'en vais positivement. »

La fin arriva peu après. C reprit ses sens un instant pour réclamer un certain travail qu'il avait dû interrompre. A le lui mit dans les bras, et il expira. Tandis que l'âme de C s'envolait vers les cieux, A la regarda monter avec une admiration mélancolique. B éclata en sanglots et dit :

« Range sa petite citerne et sa tenue de rameur.... Je sens que je ne pourrai jamais plus creuser ! »

Les funérailles furent simples et sans ostentation. Elles n'eussent été en rien différentes des enterrements ordinaires si, par déférence envers les sportifs et les mathématiciens, A n'avait loué deux corbillards. Les deux véhicules partirent à la même heure, B conduisant celui qui portait le parallélipipède noir contenant la dépouille mortelle de son malheureux ami. A, sur le siège du corbillard vide, lui consentit généreusement un handicap de cent mètres, mais arriva le premier au cimetière, conduisant quatre fois plus vite que B. *(Trouvez à quelle distance était le cimetière.)* Le cercueil descendit dans la tombe, pleuré par les figures mélancoliques du premier livre d'Euclide.

Après la mort de C, A devint un autre homme. Il perdit le goût de ses courses avec B et creusa mollement. En fin de compte, il abandonna son travail et prit sa retraite, vivant sur les intérêts de ses paris. B ne se remit jamais du choc que lui avait causé la mort de C ; son chagrin altéra son entendement. Il devint maussade, irritable, et ne parla plus que par monosyllabes. Sa maladie s'aggrava rapidement ; il finit par n'employer que des mots dont l'orthographe ne présentait aucune difficulté pour les débutants. Se rendant compte de son état précaire, il se laissa de bon gré interner dans un asile, où il abjura les mathématiques pour s'employer à écrire l'*Histoire du Robinson suisse* en mots d'une syllabe.

Stephen Leacock

GERTRUDE, LA GOUVERNANTE

*[Résumé des chapitres précédents :
il n'y a pas de chapitres précédents.]*

L A TEMPÊTE faisait rage cette nuit-là sur la côte
ouest de l'Écosse. Cela n'a d'ailleurs pas d'importance pour cette histoire qui ne se passe pas à
l'ouest de l'Écosse. Le temps était aussi mauvais sur
la côte est de l'Irlande. Mais la scène de ce récit se situe
au sud de l'Angleterre, exactement à Knotacentinum
Towers (prononcer comme si cela s'écrivait *Nosham
Taws*), la résidence de Lord Knotacent (prononcer
comme si cela s'écrivait *Nosh*).

Il n'est du reste pas nécessaire de prononcer ces
noms en lisant.

Nosham Taws était un manoir typiquement anglais :
en majeure partie de structure élisabéthaine — briques
d'un rouge chaud — mais l'aile la plus ancienne, dont le
comte était terriblement fier, datait de l'époque nor-
mande ; on y avait adjoint une prison lancastrienne et un
asile d'orphelins plantagenet. Alentour s'étendaient une

magnifique forêt et un parc aux innombrables chênes et ormes d'un âge immémorial.

Près de la demeure, il y avait des groseilliers et des plants de géraniums qui dataient du temps des Croisades. Une large et belle allée aménagée par Henry VIII allait en pente douce de la maison vers le parc.

Autour du vieux manoir l'air bruissait du pépiement des grives, du croassement des corbeaux, des douces modulations de la corneille, cependant que cerfs, antilopes et autres quadrupèdes se pavanaient sur la pelouse, si peu farouches qu'ils venaient manger dans le cadran solaire. En somme, une ménagerie.

Lord Nosh se tenait dans la bibliothèque. Le visage sévère de cet aristocratique diplomate, homme d'État chevronné, était altéré par la colère.

« Mon fils, dit-il, vous allez épouser cette fille, ou je vous déshérite. Vous ne serez plus mon fils ! »

Le jeune Lord Ronald, dressé devant lui, lui lança un regard de défi.

« Vous ne sauriez agir ainsi, dit-il. Dorénavant, vous n'êtes plus mon père. Je vais en chercher un autre. Je n'épouserai qu'une femme que je peux aimer. Cette fille que nous n'avons jamais vue....

— Imbécile ! dit le comte. Allez-vous renoncer à mes terres, à notre nom vieux de mille ans ? La fille, m'a-t-on dit, est belle. Sa tante accepte ; elles sont Françaises. Bah ! Ils comprennent ces choses, en France....

— Mais vos raisons....

— Je n'ai pas de raisons à donner, dit le comte. Écoutez, Ronald, je vous laisse un mois. Pendant ce temps, restez ici. Si au bout des trente jours vous refusez, je vous abandonne avec un shilling. »

Lord Ronald ne dit rien ; il se rua hors de la pièce, sauta sur son cheval et galopa comme un fou dans toutes les directions.

Aussitôt que la porte de la bibliothèque se fut refermée derrière Ronald, le comte se laissa tomber sur une chaise. Son visage était tombé avec lui. Ce n'était plus celui d'un gentilhomme hautain, mais d'un criminel pourchassé.

« Il faut qu'il épouse cette fille, murmura-t-il. Bientôt elle saura tout. Tutchemoff s'est échappé de Sibérie. Il sait, il parlera. Toutes les mines lui reviendront, à elle, et cette propriété avec.... Et moi.... Mais assez ! »

Il se leva, alla vers la bibliothèque, remplit un grand verre de gin et d'absinthe, et redevint un gentilhomme anglais de grande classe. A cet instant, un attelage, conduit par un valet revêtu de la livrée des comtes Nosh, pénétra dans l'avenue de Nosham Taws. A côté du valet était assise une jeune fille, apparemment guère plus âgée qu'une enfant — en fait beaucoup plus petite que le valet.

La corbeille de fruits, surmontée de plumes de pouillots qu'elle portait en guise de chapeau, cachait son visage, ce qui m'épargnera la peine de le décrire.

C'était, il va sans dire, Gertrude, la gouvernante, qui devait ce jour-là prendre ses fonctions à Nosham Taws.

Tandis que la voiture apparaissait dans l'allée, qui pouvait-on apercevoir à l'autre bout ? Un grand jeune homme à cheval. Son long visage aristocratique reflétait sa noble origine. Son cheval, il est vrai, avait une tête encore plus longue.

Quel est donc ce grand jeune homme qui approche de Gertrude à nobles foulées ? Qui, qui ? Peut-être certains de mes lecteurs devineront-ils qu'il s'agit de Lord Ronald ?

Les deux êtres étaient destinés à se rencontrer. Ils furent de plus en plus proches. Un instant même ils se rencontrèrent pour de bon. En passant, Gertrude leva

la tête vers le jeune lord et, avec elle, deux yeux tellement expressifs qu'ils en étaient tout ronds.

Était-ce l'aube de l'amour ? Attendez. Ne gâchez pas
l'histoire. Parlons de Gertrude. Gertrude de Mongmo-
renci McFiggin n'avait connu ni son père ni sa mère. Ils
étaient morts tous deux plusieurs années avant sa
naissance. De sa mère, elle ne savait rien, sauf qu'elle
était Française, extrêmement belle, et que tous ses
ancêtres, ainsi que ses relations d'affaires, avaient péri
pendant la Révolution.

Pourtant Gertrude chérissait la mémoire de ses
parents. Sur sa poitrine elle portait, enchâssée dans un
médaillon, une miniature de sa mère ; à la naissance de
sa nuque pendait un daguerréotype de son père. Sa
grand-mère était nichée dans le haut d'une manche ; ses
cousins dans ses bottes. Mais c'est assez, plus qu'assez,
pour la famille de Gertrude.

De son père, Gertrude savait seulement qu'il avait été
un gentilhomme anglais de haute lignée, dont l'existence vagabonde s'était écoulée dans de nombreux pays.
Les seuls legs dont elle avait bénéficié étaient une gram-
maire russe, un manuel de conversation roumain, un
théodolite et un précis d'ingénieur des mines.

Depuis sa plus tendre enfance, Gertrude avait été
élevée par sa tante qui lui avait inculqué avec soin les
principes chrétiens. Pour plus de sûreté, la tante lui avait
également enseigné les règles du mahométisme.

Quand Gertrude atteignit ses dix-sept ans, sa tante
mourut d'hydropisie dans des circonstances mysté-
rieuses. Ce jour-là, un étrange homme barbu, vêtu à la
mode russe, était venu la voir. C'est après son départ
qu'elle tomba en syncope, puis en apostrophe. Elle ne
devait jamais revenir à elle.

Gertrude se retrouva seule au monde. Que faire ? Tel était le problème.

Un jour, pendant qu'elle méditait sur son sort, son regard fut attiré par une petite annonce :

Cherchons gouvernante connaissant français, italien, russe, roumain, musique et formation ingénieur des mines. Salaire annuel : une livre quatre shillings et quatre pennies et demi. Se présenter entre onze heures trente et douze heures moins vingt-cinq 41 A 6 Belgravia Terrace. Comtesse de Nosh.

Gertrude était une fille d'une grande vivacité naturelle ; il lui suffit de réfléchir à cette annonce une demi-heure pour être frappée par la coïncidence extraordinaire entre la liste des qualités requises et ses propres capacités.

Elle se présenta à l'heure dite, Belgravia Terrace, devant la comtesse. Celle-ci s'avança vers elle, pleine d'un charme qui mit tout de suite la jeune fille à l'aise.

« Vous possédez le français ? demanda-t-elle.

— Oh oui ! dit Gertrude modestement.

— L'italien ? poursuivit la comtesse.

— *Oh si !* dit Gertrude.

— L'allemand, interrogea la comtesse, enchantée.

— *Ach ja !* dit Gertrude.

— Le russe ?

— *Da !*

— Le roumain ?

— *Jep !* »

Émerveillée par les connaissances linguistiques de la jeune fille, la comtesse l'examina plus attentivement. Où donc avait-elle déjà rencontré ce visage ? Pensive, elle passa sa main sur son front. Mais non... ce visage la déroutait.

« Assez ! dit-elle. Je vous engage sur-le-champ ; demain vous vous rendrez à Nosham Taws et vous commencerez à donner des leçons aux enfants. Je dois ajouter qu'il vous faudra aussi aider le comte pour sa correspondance en russe. Il a de gros intérêts miniers à Tschminsk.

Tschminsk ! Pourquoi ce simple mot résonnait-il étrangement à l'oreille de Gertrude ? Pourquoi ? Parce que c'était le nom, écrit de la main de son père, sur la page de garde de son *Précis* minier. Mystère....

C'est au lendemain de cette entrevue que Gertrude fit son entrée au château dans le *dogcart*. Lorsqu'elle en fut descendue, elle passa au milieu d'une armée de domestiques en livrée alignés sur sept rangs ; à chacun d'eux elle donna un souverain. Puis elle entra à Nosham Taws.

« Soyez la bienvenue », dit la comtesse en aidant Gertrude à monter sa malle.

La jeune fille redescendit bientôt et fut conduite à la bibliothèque pour être présentée au comte. Dès que le comte aperçut le visage de la nouvelle gouvernante, il tressaillit. Où avait-il déjà vu ces traits ? Où ? Aux courses ? Au théâtre ? Dans l'autobus ? Non. Il eut soudain des réminiscences plus subtiles. A grandes enjambées il alla vers le dressoir, vida une mesure et demie de brandy et redevint un parfait gentilhomme anglais.

* *

Nous profiterons de l'instant où Gertrude est allée dans la nursery faire connaissance des deux enfants aux cheveux d'or dont elle devra s'occuper, pour parler du comte et de son fils.

Lord Nosh était le type accompli du gentilhomme et de l'homme d'État anglais. Les années qu'il avait passées dans les services diplomatiques à Constantinople, Saint-Pétersbourg et Salt Lake City, lui avaient conféré une finesse, une noblesse particulières. Et ses longs séjours à Sainte-Hélène, dans l'île de Pitcairn, et à Hamilton (Ontario), l'avaient rendu imperméable à toute influence extérieure. Capitaine-trésorier de la milice de sa province, il était rompu à la stricte discipline de l'armée. Quant à sa charge héréditaire de valet de la Culotte du Dimanche, elle l'avait amené en contact direct avec la Royauté même.

Sa passion pour les sports de plein air l'attachait à la faune de ses terres : il excellait à tuer renards, chiens, cochons, à attraper les chauves-souris, en somme, à tous les passe-temps de sa caste.

Sur ce dernier point, Lord Ronald ressemblait à son père. Dès ses débuts, il donna les plus grandes promesses. A Eton, il avait fourni une splendide démonstration de jeu de volant ; à Cambridge, il avait été le premier de sa classe en travaux d'aiguille. Déjà on avançait son nom pour les championnats d'Angleterre de ping-pong, ce qui lui vaudrait certainement un siège au Parlement.

Cependant, Gertrude la gouvernante s'installait à Nosham Taws.

Les jours et les semaines passaient vite.

Le charme simple de la belle orpheline gagnait tous les cœurs. Ses deux petits élèves devinrent ses esclaves. « Z'aime toi », disait la petite Raschellfrida, appuyant sa tête blonde sur les genoux de Gertrude. Les domestiques l'aimaient. Le chef jardinier lui portait un beau bouquet de roses dans sa chambre avant même qu'elle fût levée ; le jardinier en second, de tendres choux-fleurs ; le troisième, une botte d'asperges tardives.... Le

soir, le vieux maître d'hôtel, ému par la solitude de la
jeune fille, frappait doucement à sa porte pour lui donner
du whisky, de l'eau de Seltz et une boîte de friandises.
Les animaux eux-mêmes semblaient l'admirer à leur
manière. Les corbeaux se posaient sur son épaule, tous
les chiens la suivaient.

Et Ronald ? Ah ! Ronald.... Oui, ils s'étaient rencontrés. Ils s'étaient parlé.

« *What a dull morning !* avait dit Gertrude. *(Quel triste
matin ! Was für ein allerverdamnter Tag !)*

— Écœurant ! » avait répondu Ronald.

« Écœurant ! » Le mot avait sonné aux oreilles de
Gertrude toute la journée.

Après quoi, ils furent constamment ensemble. Ils
jouaient au tennis et au ping-pong tout le jour, et le
soir, conformément à la stricte étiquette de l'endroit,
ils jouaient au poker avec le comte et la comtesse (et
aussi avec mesure) ; plus tard, assis sous la véranda, ils
regardaient la lune se déplacer.

Gertrude comprit vite que Ronald éprouvait pour
elle un sentiment plus profond que du simple ping-
pong. Quelquefois, en sa présence, surtout après le
dîner, il tombait dans un état voisin du néant.

Une nuit, comme Gertrude s'était retirée dans ses
appartements et s'apprêtait à se dévêtir — en d'autres
termes avant de se mettre au lit —, elle ouvrit la croisée
(fenêtre) et aperçut *(vit)* la face de Lord Ronald. Il était
assis dans un buisson d'épines ; son visage, levé vers la
fenêtre de Gertrude, avait la pâleur de l'agonie.

La vie coulait à Nosham suivant le rythme solennel
d'une grande maison anglaise. A sept heures on frappait
le gong pour le lever, à huit heures le cor retentissait
pour le petit déjeuner, à huit heures trente un sifflet
rappelait la prière, à treize heures un drapeau était
hissé à mi-mât pour le déjeuner, à quatre heures un coup

de feu était tiré pour le thé, à neuf heures une première
cloche sonnait pour que l'on s'habillât, à neuf heures
quinze second coup de cloche pour que l'on continuât
de s'habiller, et à neuf heures trente on lâchait une
fusée ; le dîner était prêt. A minuit on avait fini de
dîner, et, à une heure du matin, le tintement d'une autre
cloche appelait les domestiques à la prière du soir.

Cependant, le délai d'un mois imparti à Lord Ronald
s'écoulait. Déjà le 15 juillet était arrivé. Dans un jour ou
deux, ce serait le 17 et, presque immédiatement après, le
18 juillet.

Quelquefois, croisant Ronald dans l'entrée, le comte
lui disait sévèrement : « Rappelle-toi, mon garçon, tu
consens... ou je te déshérite ! »

Que pensait le comte de Gertrude ? Cet homme, qui
buvait beaucoup, avait laissé tomber une goutte d'amer-
tume dans la coupe de bonheur de la jeune fille. Pour
une raison qui échappait à la gouvernante, le comte
lui manifestait une antipathie marquée.

Un jour, comme elle passait devant la porte de la
bibliothèque, il lui lança un tire-bottes. En une autre
occasion, au cours d'un déjeuner où elle était seule avec
lui, il lui frappa sauvagement le visage avec une saucisse.

On sait que c'était le devoir de Gertrude de traduire
pour le comte son courrier russe. Elle y chercha en vain
l'explication du mystère. Un matin, on apporta au
comte un télégramme en russe. Gertrude le lui traduisit
à haute voix.

« Tutchemoff allé chez la femme. Elle est
morte. »

Le comte devint livide de rage. (C'est d'ailleurs ce
jour-là qu'il frappa Gertrude avec la saucisse.)

Un après-midi, pendant que le comte chassait la
chauve-souris, Gertrude, qui classait et reclassait sa

correspondance avec un intérêt d'autant plus vif que les mauvais traitements s'accentuaient, découvrit la clef du mystère.

Lord Nosh n'était pas le propriétaire légitime de Nosham. Son cousin éloigné, appartenant à la branche la plus ancienne de la famille, l'héritier en titre, était mort dans une prison russe où les machinations du comte, alors ambassadeur à Tschminsk, l'avait jeté. La fille de ce cousin était la véritable héritière de Nosham Taws.

L'histoire de la famille devenait claire aux yeux de Gertrude. Seul le nom du véritable héritier n'apparaissait pas dans le document.

Le cœur de la femme est étrange. Gertrude allait-elle se détourner du comte avec mépris ? Non. Son sort malheureux lui avait enseigné la sympathie.

Pourtant le mystère persistait. Pourquoi le comte sursautait-il légèrement chaque fois qu'il la regardait en face ?

Le dénouement ne se fit pas attendre. Gertrude ne l'a jamais oublié.

C'était la nuit du grand bal de Nosham Taws. Tout le voisinage était invité. Comme le cœur de Gertrude battait ! Avec quelle angoisse avait-elle retouché sa petite robe à bon marché pour ne pas apparaître sans mérite aux yeux de Lord Ronald ! Ses ressources étaient bien minces, mais le génie qu'elle avait hérité de sa mère (*Française*) pour s'habiller avec trois fois rien la sauva. Elle planta une simple rose dans sa chevelure et noua autour de sa taille une corde à sac.

Gertrude était le point de mire de tous les yeux. Tant d'innocence enfantine bercée par la douce musique de l'orchestre enthousiasmait tout le monde.

Le bal était à son sommet. Tout là-haut !

Ronald était allé avec Gertrude dans le bosquet. Ils se regardaient dans les yeux.

« Gertrude, dit-il, je vous aime ! »

Simples mots. Pourtant ils firent frémir la robe de la jeune fille.

« Ronald ! » dit-elle, et elle se jeta à son cou. A ce moment le comte apparut à côté d'eux, éclairé par la lune. Son visage sévère était décomposé par l'indignation.

« Ainsi ! dit-il se tournant vers Ronald, je vois que vous avez fait votre choix !

— Oui, dit Ronald avec hauteur.

— Vous préférez épouser cette fille sans le sou plutôt que l'héritière que j'avais choisie pour vous ? »

Gertrude regardait le père et le fils avec étonnement.

« Oui ! dit Ronald.

— Qu'il en soit donc ainsi, dit le comte, vidant une mesure de gin et retrouvant son calme. Alors, je vous déshérite ! Quittez ces lieux, et n'y revenez jamais !

— Viens, Gertrude, dit Ronald tendrement. Fuyons ensemble. »

Gertrude resta immobile devant eux. La rose était tombée de ses cheveux. La corde avait quitté sa taille. Mais elle restait maîtresse d'elle-même.

« Jamais ! dit-elle fermement. Ronald, vous ne ferez jamais ce sacrifice pour moi ! »

Puis, au comte, sur un ton glacé :

« Il existe, monsieur, une fierté aussi grande que la vôtre. La fille de Metchnikoff McFiggin n'a nul besoin d'implorer les bienfaits de qui que ce soit ! »

Ce disant, elle tira de son sein le daguerréotype de son père et le porta à ses lèvres.

Le comte tressaillit, comme tué.

« Ce nom ! s'écria-t-il. Ce visage ! Cette photo ! Arrêtez ! »

Ce n'est pas la peine de finir ; mes lecteurs ont depuis longtemps deviné. Gertrude était l'héritière.

Les amoureux tombèrent dans les bras l'un de l'autre. Le fier visage du comte se détendit.

« Dieu vous bénisse ! » dit-il.

La comtesse et les invités envahirent la pelouse, le jour naissant illumina la scène des joyeuses congratulations.

Ronald et Gertrude furent unis. Leur bonheur fut complet. Doit-on en dire plus ? Seulement un peu. Le comte fut tué au cours d'une chasse quelques jours plus tard. La comtesse fut frappée par la foudre. Les deux enfants blonds tombèrent dans un puits. Ainsi le bonheur de Ronald et de Gertrude fut complet.

STEPHEN LEACOCK

MA CARRIÈRE FINANCIÈRE

Quand je pénètre dans une banque, j'ai le trac. Les employés me donnent le trac ; les guichets me donnent le trac ; la vue de l'argent me donne le trac ; tout m'inspire la crainte.

Dès l'instant où je dois effectuer une opération financière, je deviens un idiot irresponsable.

Je le savais déjà, mais mon salaire avait été augmenté de cinquante dollars par mois et j'avais le sentiment que la banque était l'endroit indiqué pour me permettre de garer cette somme.

J'entrai d'un pas hésitant et jetai un regard timide sur les employés. Je pensais qu'une personne qui veut ouvrir un compte en banque doit nécessairement consulter le directeur.

Je me dirigeai vers un guichet qui portait l'inscription *Caissier*. Le caissier était un grand diable glacial. Sa seule vue m'impressionna. Ma voix était sépulcrale.

« Puis-je voir le directeur ? dis-je, et j'ajoutai : — Seul. (Je ne sais pourquoi j'ajoutai « Seul. »)

— Certainement », dit le caissier, et il alla le chercher.

Le directeur était un homme calme et grave. Je tenais mes cinquante-six dollars[1] serrés en boule dans ma poche.

« Vous êtes le directeur ? demandai-je. (Dieu sait que je n'en doutais pas.)

— Oui, dit-il.

— Puis-je vous voir... seul ? » (Cette fois encore je ne voulais pas dire « seul », mais le mot sortit de lui-même.)

Le directeur me considéra avec inquiétude. Il dut croire que j'avais un terrible secret à révéler.

« Venez par ici », me dit-il, et il me conduisit vers un bureau fermé. Il tourna la clef dans la serrure.

« Ici, nous ne risquons pas d'être dérangés, observa-t-il. Asseyez-vous. »

Nous nous assîmes et nous regardâmes. Je n'avais plus de voix.

« Vous êtes un des hommes de Pinkerton, je présume.... », dit-il à voix basse.

A mon allure mystérieuse, il m'avait pris pour un détective. Je savais maintenant ce qu'il pensait ; cela n'arrangeait pas les choses.

« Non, pas de chez Pinkerton », répondis-je, ce qui semblait sous-entendre que j'appartenais à une agence rivale.

« A vrai dire, continuai-je, comme si l'on m'avait incité à mentir, je ne suis pas du tout détective. Je suis venu pour ouvrir un compte. J'ai l'intention de déposer tout mon argent dans cette banque. »

Le directeur parut soulagé, mais resta grave ; il concluait maintenant que j'étais le fils d'un Rothschild, ou un jeune Gould.

« Un compte important, je suppose... dit-il.

— Assez, murmurai-je. J'ai l'intention de déposer cinquante-six dollars aujourd'hui et cinquante dollars par mois régulièrement. »

1. 24 000 francs.

Le directeur se leva et appela le caissier.

« Monsieur Montgomery, dit-il d'une voix désagréablement forte, ce monsieur veut ouvrir un compte, il va déposer cinquante-six dollars. Au revoir ! »

Je me levai.

Une énorme porte de fer s'entrebâilla sur un des côtés de la pièce.

« Au revoir, dis-je. Et j'entrai dans la salle des coffres.

— Sortez de là », prononça froidement le directeur, et il m'indiqua le bon chemin.

J'allai jusqu'au guichet du caissier et poussai vers lui ma balle d'argent d'un mouvement rapide et convulsif, comme si ce geste pouvait conjurer le sort.

Mon visage était affreusement pâle.

« Voilà, dis-je. Déposez ça. »

Le ton de ma voix semblait indiquer : « Finissons-en avec cette pénible affaire pendant que nous y sommes. »

Il prit l'argent et le donna à un autre employé.

Puis, après m'avoir fait inscrire le montant de la somme sur un papier, il me demanda d'apposer ma signature dans un registre. Je ne savais plus ce que je faisais. La banque tanguait devant mes yeux.

« C'est déposé ? demandai-je d'une voix creuse et vibrante.

— C'est fait, dit le caissier.

— Alors, je voudrais tirer un chèque. »

Mon idée était de retirer six dollars pour usage immédiat. Quelqu'un me tendit un carnet de chèques à travers un guichet et quelqu'un d'autre commença à m'expliquer comme faire un chèque. Les gens de la banque avaient l'impression que j'étais un millionnaire gâteux. J'écrivis quelque chose sur le chèque et le poussai vers l'employé. Il le regarda.

« Quoi ? Vous retirez tout maintenant ? » demanda-t-il, surpris.

Je m'aperçus alors que j'avais écrit *cinquante-six* au lieu de *six*. Mais j'étais allé trop loin pour raisonner. Je sentais qu'il me serait impossible de donner des explications. Tous les employés avaient cessé d'écrire pour me regarder.

L'inquiétude me rendant téméraire, je jouai le tout pour le tout.

« Oui, tout !

— Vous retirez votre argent de la banque ?

— Jusqu'au dernier sou !

— Vous ne déposerez plus votre argent ici ? » demanda l'employé surpris.

J'espérai bêtement qu'il penserait que quelque chose m'avait blessé pendant que je libellais le chèque et que j'avais changé d'idée. Je fis une misérable tentative pour me donner l'air d'un homme au tempérament violent.

L'employé se prépara à me remettre l'argent.

« Comment le voulez-vous ? dit-il.

— Quoi ?

— Comment le voulez-vous ?

— Ah !... »

Je compris ce qu'il voulait dire et répondis sans même essayer de penser :

« En billet de cinquante. »

Il me donna un billet de cinquante dollars.

« Et les six ? demanda-t-il sèchement.

— En six. »

Il me les tendit et je sortis précipitamment.

Tandis que la grande porte se refermait derrière moi, je perçus l'écho d'un immense éclat de rire qui monta jusqu'au plafond de la banque.

Depuis ce jour, je ne fais plus d'opérations bancaires. Je garde mon argent liquide dans la poche de mon pantalon et mes économies en dollars d'argent dans une chaussette.

STEPHEN LEACOCK

DIALOGUE MODÈLE

[... *Où il est montré comment le prestidigitateur
amateur peut être définitivement guéri de sa manie de
faire des tours de cartes.*]

LE PRESTIDIGITATEUR amateur, ayant sournoise-
ment mis la main sur le jeu de cartes à la fin d'une
partie, demande :

« Vous connaissez des tours de cartes ? J'en connais
un bon. Prenez une carte.

— Non, merci, je ne veux pas de carte.

— Non.... Je veux dire ; prenez-en une, n'importe
laquelle, et ensuite je dirai quelle carte vous avez prise....

— Vous le direz à qui ?

— Non, non, je veux dire que je saurai laquelle c'est,
vous comprenez ? Allez, prenez une carte !

— Celle que je veux ?

— Oui.

— N'importe quelle couleur ?

— Oui, oui.

— Pique, carreau, cœur ou trèfle ?

— Oui, allez, allez....

— Eh bien, voyons un peu... je vais prendre... l'as de pique !

— Seigneur Dieu ! Je veux dire qu'il faut que vous tiriez une carte du jeu !

— Ah ? Que je la tire du jeu ? Ah ! maintenant je comprends ! Faites-moi passer le jeu.... Voilà !

— Vous en avez pris une ?

— Oui, c'est le trois de cœur. Vous l'aviez deviné ?

— Zut ! Ne me le dites pas ! Vous gâchez tout ! Tenez, essayez encore. Prenez une carte !

— Bon, je l'ai.

— Remettez-la dans le jeu. Merci. *(Flip-flap-flip-flap-clic !)* Et hop ! *(Triomphant)* : C'est celle-ci ?

— Je ne sais pas. Je l'ai perdue de vue.

— Perdue de vue ! Le diable vous emporte ! Il faut que vous regardiez bien et que vous vous souveniez de quelle carte il s'agit !

— Oh ! vous voulez que je regarde la face de la carte ?

— Mais bien sûr ! Bon, allez, maintenant prenez une carte.

— Bon, je l'ai prise. Allez-y ! *(Flip-flap-flip-flap-clic !)*

— Dites donc, bougre d'animal, avez-vous remis la carte dans le jeu ?

— Non, bien sûr, je l'ai gardée !

— Juste Ciel ! Écoutez. *Prenez-une-carte-rien-qu'une-regardez-la-voyez-laquelle-c'est-ensuite-remettez-la-*vous comprenez ?

— Oh ! parfaitement ! Seulement je ne vois pas du tout comment vous allez pouvoir y arriver. Vous devez être terriblement fort.

(Flip-flap-flip-flap-clic !)

— Et hop ! c'est bien votre carte, n'est-ce pas ? »
(Voici venu le moment suprême.)

« NON, CE N'EST PAS MA CARTE. *(C'est un pur mensonge,
mais le Ciel vous pardonnera.)*

— Pas votre carte ? ! ! Attendez, ne bougez pas.
Attention à ce que vous faites, maintenant ! Ce fichu
tour, je le réussis à tous les coups, vous m'entendez ?
Je l'ai fait à ma famille et à tous les gens qui sont venus
à la maison. Prenez une carte. *(Flip-flap-flip-flap-
boum !)* Et hop ! Voilà votre carte !

— NON, JE SUIS NAVRÉ, CE N'EST PAS MA CARTE. Mais
vous ne voulez pas essayer encore un coup ? Je vous en
prie, essayez donc ! Vous êtes peut-être un peu nerveux ?
C'est sans doute moi qui n'ai pas très bien compris.
Vous ne voulez pas aller vous asseoir tout seul, tranquil-
lement, dans la véranda, pendant une demi-heure ?...
Après quoi, vous essaierez encore ?... Oh!... il faut que vous
rentriez ? Comme c'est dommage ! Ce doit être un si
joli petit tour ! Bonsoir !

ERIC NICOL

Écrivain, auteur dramatique, journaliste, Eric Nicol, né à Kingston, Ontario, en 1919, a terminé ses études universitaires à Paris. L'humour de ce Canadien de Vancouver est bien connu aux U. S. A.

LES ANIMAUX DANS LA PRESSE

QUAND je me trouve en présence de chiens, de chats, de canaris, de tortues et autres animaux privilégiés, je ne suis jamais sûr de ce qu'ils vont faire.

En revanche, quand j'ai affaire à eux dans les journaux, je sais tout de suite quelle sera leur conduite. Et là ils commencent à m'énerver.

J'aimerais tellement lire — une fois seulement — un fait divers ainsi libellé :

ZWICKY, Mass., 30 avril (VP). — *Il y a deux semaines environ, Harold Lagersnifter emmena son bull-dog, Winston, dans sa voiture et parcourut six cents kilomètres pour se rendre chez des amis au bord de la mer. Le jour suivant, Winston avait disparu. Après de longues recherches, Lagersnifter se résigna tristement à la perte de son ami. A la fin de ses vacances, deux semaines plus tard, Lagersnifter accomplit les six cents kilomètres du retour. Que trouva-t-il à la porte de sa maison ? Vous l'avez deviné : quatorze bouteilles de lait.*

Une autre histoire d'animaux me fait brûler les journaux avec joie : c'est celle du chouchou qui a sauvé un nombre incalculable de personnes d'une mort certaine en donnant l'alarme. Habituellement le héros est un petit chien bâtard, mais à l'occasion les chats accomplissent aussi ce genre d'exploit. Aucun d'eux, à ma connaissance, n'est jamais allé jusqu'à l'avertisseur de police le plus proche pour casser la vitre, ou composer le bon numéro sur le cadran téléphonique. Au lieu de quoi, emprisonnés dans une maison en feu, ils aboient, miaulent ou font clapoter l'eau des poissons rouges jusqu'à ce que quelqu'un s'éveille, ouvre une porte et trébuche sur eux dans sa fuite vers la rue. Pour ces hauts faits, ils sont photographiés, interviewés et célébrés à grand tapage. Dieu sait ce qu'ils auraient pu faire d'autre au milieu d'un feu. Mettre des châtaignes à griller, peut-être ? On voudrait pouvoir lire un récit comme celui-ci :

ZBARAZ, Man, 2 juillet (MP). — *Premier à détecter la fumée et les flammes envahissant les corridors de l'hôtel Moose, hier soir, un basset irlandais, O'Schultz, âgé de deux ans, sortit précipitamment d'un réfrigérateur, des-*

cendit silencieusement l'escalier de service, s'enfuit par le carreau cassé d'un soupirail et courut jusqu'à la bouche d'incendie la plus proche. Cinquante-six personnes ont péri carbonisées.

Les histoires d'animaux qui héritent de riches excentriques des fortunes dont ils ne verront jamais la couleur ne me réjouissent pas davantage. D'ailleurs je ne pense pas que ces histoires soient bonnes pour les animaux. (Les journaux et les magazines nous assurent que le nombre des animaux qui apprennent à lire et à comprendre les nouvelles est de plus en plus grand, et je le crois volontiers. Mais alors... si ces chers petits compagnons comprennent que le dévouement peut leur rapporter des titres et des terres, nous sommes perdus ! Je sais certain type d'épagneul suffisamment insupportable tel qu'il est pour ne pas lui donner d'autres raisons de se jeter au cou de tout le monde !)

Sans compter que certains de nos animaux favoris, du moins parmi les plus gros, pourraient bien être tentés de hâter la fin de leurs bienfaiteurs.... Un oiseau même est capable d'obtenir d'assez bons résultats en voletant, juste hors d'atteinte de son maître, à la fenêtre d'un appartement situé au dixième étage d'un building. J'aimerais donc lire plus souvent des histoires de ce genre :

ZÉPHYR, Texas, 15 août (DP). — *Le testament de Mrs. Stuyvesant S. Slud, veuve du multimillionnaire Slud, a été ouvert aujourd'hui devant la cohorte nerveuse des avocats de la famille. Mrs. Slud, qui, pendant les cinquante dernières années de sa vie, avait résolument banni la société de son immense maison pour lui préférer la seule compagnie de son perroquet Eustache, a fait de celui-ci son unique héritier en lui laissant deux biscuits et un mot disant : « Maintenant, parle toujours, et débrouille-toi*

*comme tu veux, sale bête ! » Le reste de la fortune des Slud
sera absorbé par le fisc.*

Et je désirerais que l'histoire de la fidélité éternelle
prît un jour ce tour-là :

Zilwaukee, Mich., 11 nov. (HP). — *Depuis deux
longs mois maintenant, Mutt, le petit chien du pêcheur Ole
Swenson, est assis à l'extrémité de la jetée et surveille la
mer. Les observateurs qui nourrissent Mutt régulièrement
disent qu'il ne quitte jamais son poste, bien que son appétit
demeure excellent. Interrogé dans la cabane qu'il n'a
jamais abandonnée pendant les deux mois de veille de
Mutt, à quelques mètres seulement de la jetée, Swenson a
répondu : « Est-ce que je sais ? Il a ses soucis, j'ai les
miens. »*

Aux journalistes professionnels chargés de la mise en
pages, je ne saurais trop recommander de laisser au frais
les singes coiffés de chapeaux pointus, le témoignage
printanier de la fécondité des hippopotames, les cas
étranges de chats soignant des petits rats (ou de rats
soignant des petits chats) ainsi que l'éternelle photo de
cet énergumène couvert d'abeilles pour je ne sais quelle
sotte raison.

Je regrette que mon attitude envers les animaux puisse
paraître hostile. Hors des imprimés, je les aime bien,
vous l'avez compris, même s'ils ne m'aiment point.
Mais je suis simplement humain : je supporte mal qu'une
bête me soit présentée comme plus brave, plus spiri-
tuelle et plus loyale que moi. Après tout, si elle est par-
faite, elle n'a qu'à payer l'abonnement de mon journal
pendant que je vais mordre le rédacteur en chef. Cette
affaire doit être réglée une fois pour toutes.

Benjamin Jacobsen

*En 1955, la société danoise fut fort
émue par la publication d'un livre intitulé*
Au temps du rococo ou Souvenirs d'une
enfance mouvementée, *dont l'auteur,
Benjamin Jacobsen, ne figurait dans
aucun annuaire, mais témoignait d'une
connaissance intime de la grande bourgeoisie de Copenhague. Ce pseudonyme, qui cache l'identité d'un haut
fonctionnaire du ministère des Affaires étrangères danois, a révélé un
humoriste de classe.*

L'ASSASSINAT DE MADAME SARTORIUS

La RÈGLE de la maison, dans ma jeunesse, nous
faisait un devoir d'accueillir les visiteurs par
quatre hourras bien scandés. Je dois préciser que
nous étions sept enfants et qu'il nous fallait participer
tous ensemble à ces joyeuses manifestations auxquelles
se joignaient mon père, ma mère et nos deux vieilles
bonnes.

Le lecteur se gardera de donner au terme de « visiteurs »

un sens trop restreint ; il admettra que les facteurs,
livreurs, garçons de course, d'autres encore devaient
être considérés comme tels, cela dans l'intention de
développer notre sens social. Cet accueil solennel ayant
nécessairement lieu dans l'entrée, par conséquent assez
loin des chambres d'enfants, on imaginera le remue-
ménage général que déclenchait le moindre coup de
sonnette dans tout l'appartement. Les tout-petits, encore
à moitié endormis, étaient brusquement arrachés à leur
berceau ou à leur lit. Dans la cuisine, les bonnes aban-
donnaient poêles et marmites. La trompette de grand-
maman, qui, du salon, accourait à toute vitesse dans
son fauteuil roulant, dominait le tumulte de ses stri-
dences.

Papa était toujours le premier à son poste. Montre en
main, il se tenait droit et grave devant la porte de son
bureau. Je le vois encore devant moi, rythmant nos cris
par de petites tapes sur la peau de son crâne.

Tout le problème était d'opérer le rassemblement
avant que le visiteur, ayant perdu patience, s'en fût
allé. Je devais avoir entre huit et neuf ans, quand papa
décida de tirer un coup de pistolet à blanc dès que la
sonnette retentirait. Il utilisait à cette fin un pistolet à
deux canons d'un modèle fort ancien ; je ne me souviens
pas d'en avoir jamais vu de semblable. Si l'idée avait du
bon, elle devait se révéler moins concluante dans la
pratique. D'abord, le bruit était terrifiant. Du canon de
l'arme sortait un jet de flammes. Nos cris suivaient de
près la détonation, mais quelque perçants qu'ils fussent
ils nous paraissaient dérisoires après la déflagration,
et nous en étions attristés. Nous commencions tout juste
à nous habituer à ce nouveau règlement quand survint
l'événement qui devait amener papa à renoncer à son
pistolet.

Ce jour-là, nous étions, comme d'habitude, disséminés

dans l'appartement. Maman, les servantes et mes deux sœurs se trouvaient dans la cuisine, occupées aux travaux domestiques. Grand-maman faisait du crochet à bord de son fauteuil roulant. Papa travaillait à son herbier dans le bureau.

On sonna à la porte. Rapide comme l'éclair, papa tira le coup du rassemblement. Tout le monde se mit à crier, les portes s'ouvrirent avec fracas. D'un rapide coup d'œil, papa vérifia la présence de tous, et, sur son signe, la bonne ouvrit la porte.

Une dame âgée gisait tout de son long sur le paillasson. Quatre hourras la saluèrent.

« Monsieur l'a tuée ! dit la bonne.

— Ne dites donc pas de bêtises, Catherine, répondit mon père, le coup était à blanc.

— Pourtant, elle est bien morte ! » constata la bonne.

Grand-maman, elle, se tordait de rire, ce qui nous rassura.

« Ma parole, il vient de tuer la veuve du pasteur Sartorius ! » criait-elle au comble de l'exaltation.

Mon père se pencha sur la dame âgée que grand-maman venait d'identifier. Maître de lui, il distribua ses ordres :

« Que Karl m'apporte l'eau de mélisse ! Madeleine, un verre d'eau ! Benjamin, un morceau de sucre ! Oscar, une petite cuiller ! »

C'est alors que la veuve du pasteur revint à elle. A la vue de papa, qui tenait toujours son pistolet dans la main droite, elle fut prise d'une telle panique qu'elle retrouva d'un coup toutes ses forces.

D'un bond, elle se précipita dans l'escalier en hurlant. Papa courut derrière elle pour lui dire quelques paroles rassurantes (il nous l'expliqua plus tard). Mon frère Oscar et moi leur emboîtâmes le pas.

Bien que mon père eût quelque trente ans de moins que la veuve du pasteur, celle-ci avait pu s'assurer dès le départ une avance considérable qui ne diminua qu'au moment où il lui fallut ouvrir la porte cochère. Nous débouchâmes en trombe dans la Kronprincessegade ; toujours en tête, la veuve du pasteur hurlait, immédiatement suivie de papa, qui vociférait ses paroles rassurantes. Oscar et moi fermions la marche, si l'on peut ainsi dire d'une course.

Papa réussit enfin à saisir par un pan la robe de la veuve Sartorius ; on eût dit deux enfants jouant au cheval et au cocher, à cela près que le fouet du cocher était un pistolet.

Nous approchions de Gothersgade, où un attroupement s'était formé — personne ne manifestant d'ailleurs la moindre intention de venir en aide à la vieille dame en difficulté —, quand ce qui devait arriver arriva : le coup partit tout seul, la détonation déclenchant nos quatre hourras bien scandés. Et, pour la deuxième fois, la veuve du pasteur Sartorius s'évanouit.

Ce fut alors la plus grande confusion.

Un frisson parcourut la foule. Trois ou quatre ouvriers se mirent à courir ; deux agents de police en faction au square du Roi se précipitèrent vers nous. Ce fut un maçon qui arriva le premier.

« Pourquoi donc avez-vous tué cette brave femme ? demanda-t-il avec un certain bon sens.

— Voyons, mon ami..., lui dit mon père, cette femme n'est pas morte ! Elle n'est qu'évanouie. C'était un coup à blanc.... »

Mais les agents s'emparèrent de lui. Il commença à s'expliquer. Les agents le firent taire. Et ce n'est qu'après avoir longuement parlementé qu'il put obtenir la permission de nous envoyer chez son ami le procureur Bille pour lui demander de se rendre sur-le-champ au commissariat de la rue Royale. Tout cela paraissait suspect aux policiers. Quand nous pûmes enfin nous frayer un chemin vers eux, ils nous demandèrent qui nous étions.

« Les enfants de l'assassin ! » répondis-je, assez sombre.

Papa marqua le coup ; le regard qu'il me lança n'augurait rien de bon pour l'avenir. Finalement, mon père fut conduit au poste. Cependant la veuve du pasteur avait été hissée dans un fiacre et reconduite à sa maison.

Bientôt nous expliquâmes au procureur que papa venait d'être arrêté pour avoir tué Mme Sartorius d'un coup de revolver en pleine rue.

Nous paraissions tellement désespérés que le pauvre homme se leva en murmurant : « Édouard, mon pauvre ami, qu'as-tu fait ? »

Puis il prit son chapeau, son manteau, et nous quitta, perdu dans ses pensées.

De retour chez nous, il ne nous fallut qu'un instant pour affoler la maison. Oscar se distingua en décrivant le cadavre de la veuve avec un tel luxe de détails que grand-maman et la cuisinière finirent par croire que la frayeur avait dû la tuer. Quant à maman, elle était aussitôt partie pour rejoindre notre père au commissariat.

Nous ne revîmes nos parents qu'au moment du dîner. Maman se comporta comme si rien d'anormal ne s'était passé et parla de choses et d'autres avec un enjouement un peu forcé. Papa ne desserrait pas les dents.

Au dessert, il rompit le silence.

« Après mûre réflexion, j'ai décidé de donner à l'avenir le signal du rassemblement d'une manière différente.

— Le pauvre ! Voilà qu'il n'ose plus tirer ! » se moqua grand-maman.

Mon père éleva la voix :

« A partir de demain, je vous prie de vous rassembler dans l'entrée lorsque vous m'entendrez sonner du cor ! »

Et il ajouta sur un ton sifflant :

« D'ailleurs, j'ai deux mots à dire à grand-maman et à Benjamin ; je les attendrai dans mon bureau après le dîner. »

Rafaël Azcona

Rafaël Azcona, né en 1926 à Logrono, poète d'avant-garde, romancier, journaliste, dessinateur, peint volontiers les travers des petites gens et symbolise bien l'humour noir espagnol.

LE NOUVEAU PAUVRE

IL ESSAYAIT de le cacher, mais cela se voyait : c'était un nouveau pauvre, un peu snob et prétentieux, sentant encore sa bourgeoisie. Il étalait trop sa misère : sa crasse, ses loques étaient trop criardes, son regard trop minable.

Cela ne me disait guère de dormir sous le pont à côté d'un type de ce genre, mais pour une nuit.... On peut être pauvre et savoir faire contre mauvaise fortune bon cœur. C'est une aptitude qui ne m'a jamais manqué. Elle me permit de me coucher à côté de lui en oubliant sa présence. J'agis toujours ainsi quand je me trouve dans des circonstances désagréables : je m'évade de la réalité. Si la réalité est un agent de police, par exemple, je m'évade aussitôt.

J'aimais ce pont. Il franchissait le fleuve d'une de ces prodigieuses villes espagnoles où l'exercice de la mendicité donne de si heureux résultats. Car on ne mendie pas dans tous les pays de la même façon. En Espagne, mendier n'est pas seulement un moyen d'existence, mais un sport des plus passionnants. J'aime m'approcher de ces jolis petits villages pleins de chiens féroces, d'enfants sans entrailles, d'adultes qui savent dire mieux que quiconque : « Que le bon Dieu vous protège ! » Avant d'y entrer, j'aime lire à plusieurs reprises sur les murs l'inscription : « *Dans cette commune, le blasphème et la mendicité sont interdits.* » J'aime ma profession. Les difficultés que je rencontre pour l'exercer m'emplissent d'ardeur. J'entre dans un village de ce genre comme un soldat qui marche au feu. Les interdictions formelles des affiches résonnent à nos oreilles, les chiens aboient sur notre passage, les enfants nous lancent des pierres, mais les adultes, compréhensifs, courtois, nous disent : « Que le bon Dieu vous protège ! » Comment donc ne serais-je pas heureux quand, dans cette atmosphère, j'obtiens un morceau de pain, même à moitié mangé, ou dix centimes, même faux ?

Mais je m'écarte du sujet. Je parlais de ce nouveau pauvre. Je disais que j'aimais le pont qui nous abritait tous deux cette nuit-là. C'était un pont de pierre, comme tous les ponts qui se respectent. J'ai horreur des ponts métalliques. Sans parler de l'incommodité, ils sont froids, incléments, anti-esthétiques. Sous leurs entrelacs de fer, on se sent inquiet, petit, inutile. Sous une arche de pierre, on éprouve le besoin de regarder un peu les étoiles, de fumer un dernier mégot et, en fin de compte, de dormir comme un bienheureux. Le vent ne siffle pas, la pluie ne mouille pas, le froid n'ose pas entrer....

Je venais de donner un coup de pied à l'intrus pour lui faire savoir que j'avais l'intention de changer de position afin de tirer un mégot de mon balluchon après avoir regardé les étoiles, quand je m'aperçus que cet imbécile se donnait de l'importance. Il me regardait par-dessus l'épaule d'un air de mépris sans deviner que sous mes haillons décents battait le cœur d'un pouilleux qui comptait des mendiants professionnels dans sa famille jusqu'à la septième génération. Je soutins son regard et l'entendis grogner :

« C'est dégoûtant !... On est toujours à la merci de ces métèques !... »

Je ne relevai pas l'affront. Pourquoi ? Je suis trop orgueilleux, j'ai trop conscience de ce que je suis, de ce que je vaux, pour m'abaisser à entamer une discussion avec le premier truand venu.... Je me contentai de cracher.

J'allumai mon mégot avec un bout d'allumette et fumai avec délectation, heureux, en paix avec presque toute la Création. Nous, les vrais pauvres, au fond, nous sommes des conservateurs. Nous savons que toute révolution implique un changement, nous n'avons pas envie que les choses changent. Pourquoi ? Pour que la société nous mette un outil entre les mains ? Non. Nous aimons notre destin, nous sommes parfaitement heureux que la vie soit ainsi. Je ne sais quelles raisons donneraient mes collègues, mais elles seraient sans doute très semblables aux miennes. En mendiant, j'accomplis un devoir social. Grâce à moi, les gens peuvent connaître l'euphorie de la charité. Ils appré-

cient davantage leur lit et leur bouillotte quand, par
les longues nuits d'hiver, ils entendent battre la pluie
sur les toits et songent que moi et mes collègues nous
sommes couchés à tous les vents.

Diable, voilà que je m'écarte encore du sujet ! C'est
toujours ce qui m'arrive, même quand je demande
l'aumône pour l'amour de Dieu. Un moment d'inattention et, hop ! me voilà en train de battre la campagne.
De temps en temps, c'est une bonne chose de sortir
des sentiers battus, mais il y a des cas où cette manie
peut vous attirer de graves ennuis. Un soir, comme
je mendiais en Castille, cette facilité que j'ai à m'écarter
du sujet a failli me perdre définitivement.... Je m'ap-
prochai d'une maison en gémissant de ma voix la plus
lamentable :

« Charité pour un pauvre qui ne peut pas gagner
sa vie ! »

Un instant plus tard, une belle fille apparut au por-
tail. J'étais jeune alors, et dans le monde entier, y
compris la Castille — ce qui est rare —, c'était le prin-
temps.... Je m'écartai du sujet (prendre d'une main
avide, et avec reconnaissance, le bout de pain que la
fille m'offrait), me mis à faire un brin de causette,
et patati, et patata, la causette se prolongea.... Si bien
que je fus à deux doigts de rester là pour faire la récolte
et, ce qui eût été pire, me marier avec la belle fermière.

Il s'agissait donc du nouveau pauvre.... J'ai dit que
je fumais le dernier mégot du jour. En fumant, je pensais à mes affaires, oubliant tout à fait l'énergumène
qui n'en finissait pas de chercher une position pour
dormir, quand soudain je le vis debout devant moi,
courbé servilement. Quelque camarade devait s'être
chargé de lui rappeler mon rang dans l'échelle des
pauvres. Le malheureux se hâtait de me présenter
ses excuses.

C'était bien cela. Le mendiant sans caste, le clochard de basse extraction, le pouilleux de fortune se mit à balbutier :

« Excusez-moi.... Je ne savais pas que vous.... Il y a de telles promiscuités entre les classes que j'ai cru.... Si je vous ai dérangé... croyez bien que c'est sans mauvaise intention.... Je suis prêt à.... »

Pauvre diable ! Là encore, la caque sentait le hareng. Un vrai pauvre, conscient de sa condition, se serait excusé autrement. Je le laissai parler jusqu'à perdre haleine. Il me faisait tant de peine — et il est bien difficile pour un pauvre d'avoir pitié de quelqu'un — que je finis par lui donner cinq centimes pour qu'il me laissât tranquille.

Puis je me levai pour aller me coucher à l'autre bout du pont. Je n'aurais pas pu dormir là, à côté de lui. Il respirait trop la misère pour être un vrai miséreux.

On a de la naissance ou on n'en a pas.

MIGUEL MIHURA

*Acteur, auteur dramatique, conteur,
Miguel Mihura est le fondateur du
célèbre hebdomadaire humoristique* La
Codorniz. *Par une transposition, particulièrement osée pour un Espagnol, il
se livre ici à une satire caricaturale
du torero et des courses.*

LA VÉRIDIQUE HISTOIRE
DE DON CECILIO ALVAREZ, TORERO

NOMBRE d'*aficionados* se lamentent en affirmant
que la grande époque des corridas est révolue.
La faute en est, sans nul doute, à Don Cecilio
Alvarez, torero fameux, mais qui avait la fâcheuse
habitude de fixer le toro par-dessus ses lorgnons. C'est
là une attitude qui, dans une arène, nuit au style.

La vérité est là : si notre sport national a été gâché,
c'est à cause des lorgnons et de la moustache de ce

monsieur qui, avant de devenir un torero fameux, avait été longtemps caissier dans une banque. Il en avait conservé un côté rond-de-cuir. Tout en étant donc le torero le plus courageux du monde, il réussit à imposer dans toutes les arènes des habitudes de caissier. Les puristes lui pardonnaient beaucoup, mais se rendaient bien compte qu'il finirait à la longue par gâter leur beau sport.

Don Cecilio ne toréait qu'à Madrid. Étant déjà vieux, il n'aimait guère le train. A cause des escarbilles. Ensuite, forcément, il voyait mal le toro. Grognon, antipathique, il traitait sèchement les membres de sa *cuadrilla*, dont il exigeait le respect. Il n'admettait pas d'être tutoyé et disait « vous » à tous ceux de son entourage, en les appelant par leur nom de famille. Jamais il n'appelait personne « Rafaé », comme tous les autres qui appellent n'importe qui « Rafaé », puisque c'est ainsi qu'un torero nomme les gens.

« Comment se fait-il que vous arriviez si tard, monsieur Fernandez ? » demandait-il brutalement au torero qui avait laissé passer l'heure pour entrer dans l'arène. Il faut dire qu'il avait proscrit la coutume suivant laquelle tous les membres de la *cuadrilla* doivent arriver ensemble en voiture. De ce fait, il y avait toujours un retardataire.

« Tous les trains étaient complets, don Cecilio, répondait humblement M. Fernandez en préparant sa cape.

— C'est bon, mais n'y revenez pas! Maintenant, allez chercher l'animal et amenez-le-moi ici ! »

Et M. Fernandez allait chercher l'animal et le présentait à don Cecilio, qui le recevait par une merveilleuse véronique. Si merveilleuse que les *aficionados* se levaient d'enthousiasme. Il faut dire que les *aficionados* sont toujours enclins à se lever à chaque instant, car les sièges sont très inconfortables.

Au moment de la mise à mort, comme il est de rigueur, don Cecilio exigeait qu'on le laissât seul dans l'arène avec le toro. Si un membre de sa *cuadrilla* désirait entrer pour une raison ou pour une autre, il ne lui permettait pas de sauter la barrière, car, disait-il, c'est ainsi que l'on abîme les barrières. Il fallait entrer par la porte, après avoir frappé.

« Puis-je entrer, don Cecilio ? lui criait-on de la porte.

— Pourquoi voulez-vous entrer, monsieur Sanz ?

— Pour faire baisser un peu la tête de l'animal, don Cecilio.... »

C'est donc seulement avec l'autorisation de don Cecilio que M. Sanz ouvrait la porte et entrait pour faire baisser un peu la tête de l'animal, enlever une banderille, ou porter don Cecilio à l'infirmerie quand il avait reçu un coup de corne au ventre.

On ne s'étonnera pas, après cela, que le sport se dégradât de plus en plus. Ce fut pis encore quand don Cecilio commença à vieillir et qu'au lieu d'un lorgnon il en employa deux : un pour voir de près, l'autre pour voir de loin. A l'instant de la mise à mort, il devait changer de lorgnon. C'était la minute la plus choquante, la plus révoltante.

Il était dès lors inutile que le soleil brillât sur l'Espagne, que fleurît dans l'air l'allégresse d'un *paso doble*, que les femmes se couvrissent de mantilles et de fleurs. Il devenait inutile que des femmes pâles d'angoisse priassent à genoux la Vierge de la Macarena en attendant à la maison le retour de leurs maris *banderilleros*.

Ces deux petits bouts de verre de dix-huit dioptries gâchaient tout.

R<small>EMEDIOS</small> O<small>RAD</small>

*Née à Madrid, Remedios Orad col-
labore régulièrement à La Codorniz,
mais écrit surtout pour le théâtre. Elle
a illustré par cette courte histoire le
sens de la solidarité chez les Espagnols
dans la vie quotidienne.*

LE DOIGT

L<small>A</small> PORTIÈRE de l'autobus se referma sur le doigt
de Manolo — l'ongle du pouce droit pour être
exact. Manolo, se mordant les lèvres, retint
une exclamation. S'il avait été chez lui, il aurait envoyé
un coup de pied à ce qu'il aurait eu sous la main, mais
à cet instant ce qu'il avait de plus proche était un
vieux monsieur, et Dieu sait ce qu'il en serait advenu.
Certainement pas du bien, car il n'était pas sympathique. Dès que Manolo, livide, se fut laissé tomber

sur sa place, à côté de sa femme, les gens commencèrent à faire des commentaires et à lui demander s'il s'était fait mal.

L'autobus s'emplit d'anecdotes de doigts. Une dame expliqua comment on avait dû couper le doigt de sa tante à laquelle était arrivée semblable mésaventure. Manolo la regarda avec haine. Tous ces gens qui profitaient de son doigt pour lier conversation l'indignaient. Il s'enferma dans un silence hostile. D'ailleurs sa femme se chargeait de faire les honneurs de son doigt à tous les voyageurs. Elle répondait pour lui à toutes les questions. Oui, bien sûr, Manolo souffrait de son doigt.... Oui, Manolo irait sans nul doute chez le médecin.... Assurément, Manolo avait mauvaise figure.... Il était très douillet....

Elle commença à démontrer par de multiples petits faits combien Manolo était douillet. Tout cela mettait Manolo au comble de la fureur, mais ce qui l'irritait le plus, c'était de voir sa femme sourire à tout le monde, tandis qu'elle lui réservait son regard le plus réprobateur. « Comment peux-tu être aussi grossier ? » semblait-elle lui dire. Bien sûr, elle n'avait jamais eu un doigt dans cet état, elle ! Le plus irritant n'était pas là : les gens mouraient d'envie d'examiner son doigt. Ses voisins se penchaient vers lui. Pour les ennuyer, il cachait son doigt. Un monsieur dit :

« Voyons, voyons.... »

Manolo dissimula complètement son doigt. Sa femme intervint, avec un sourire affable pour le voyageur :

« Voyons, Manolo ! »

Manolo fronça les sourcils et, enfantin :

« Je ne veux pas, là ! »

Tous les voyageurs se regardèrent, murmurant. Quelqu'un intervint en demandant :

« Qu'a-t-il dit ? »

Avant que personne ait pu expliquer à ce fâcheux que l'accidenté se refusait à montrer son doigt, Manolo ouvrit la portière et descendit de l'autobus en marche, oubliant simplement qu'il en était incapable.

Des gens se groupèrent autour de lui.

« Vous vous êtes fait mal ?

— Pas du tout ! » trouva-t-il la force de nier.

Et, clopin-clopant, il fendit la foule, manifestant par un sourire forcé une félicité qu'il était loin de ressentir.

Corey Ford

> *Essayiste, auteur dramatique, jour-*
> *naliste, colonel de l'U. S. Air Force*
> *pendant la guerre, Corey Ford, né à*
> *New York en 1902, excelle dans la*
> *peinture de la vie courante et la*
> *satire de la vie sociale.*

L'AGE DES AUTRES

Il me semble qu'ils fabriquent des escaliers plus durs qu'autrefois. Les marches sont plus hautes, il y en a davantage. En tout cas, il est plus difficile de monter deux marches à la fois. Aujourd'hui, je ne peux en prendre qu'une seule.

A noter aussi les petits caractères d'imprimerie qu'ils utilisent maintenant. Les journaux s'éloignent de plus en plus de moi quand je les lis : je dois loucher pour y parvenir. L'autre jour, il m'a presque fallu sortir de la cabine téléphonique pour lire les chiffres inscrits sur les fentes à sous. Il est ridicule de suggérer qu'une personne de mon âge ait besoin de lunettes, mais la seule autre façon pour moi de savoir les nouvelles est de me les faire lire à haute voix — ce qui ne me satisfait guère, car de nos jours les gens parlent si bas que je ne les entends pas très bien.

Tout est plus éloigné. La distance de ma maison à la gare a doublé, et ils ont ajouté une colline que je n'avais jamais remarquée avant. En outre, les trains partent plus tôt. J'ai perdu l'habitude de courir pour les attraper, étant donné qu'ils démarrent un peu plus tôt quand j'arrive.

Ils ne prennent pas non plus la même étoffe pour les costumes. Tous mes costumes ont tendance à rétrécir, surtout à la taille. Leurs lacets de chaussures aussi sont plus difficiles à atteindre.

Le temps même change. Il fait plus froid l'hiver, les étés sont plus chauds. Je voyagerais, si cela n'était pas aussi loin. La neige est plus lourde quand j'essaie de la déblayer. Les courants d'air sont plus forts. Cela doit venir de la façon dont ils fabriquent les fenêtres aujourd'hui.

Les gens sont plus jeunes qu'ils n'étaient quand j'avais leur âge. Je suis allé récemment à une réunion d'anciens de mon université, et j'ai été choqué de voir quels bébés ils admettent comme étudiants. Il faut reconnaître qu'ils ont l'air plus poli que nous ne l'étions ; plusieurs d'entre eux m'ont appelé « monsieur » ; il y en a un qui s'est offert à m'aider pour traverser la rue.

Phénomène parallèle : les gens de mon âge sont plus vieux que moi. Je me rends bien compte que ma génération approche de ce que l'on est convenu d'appeler *un certain âge*, mais est-ce là une raison pour que mes camarades de classe avancent en trébuchant dans un état de

sénilité avancée ? Au bar de l'université, ce soir-là, j'ai
rencontré un camarade. Il avait tellement changé qu'il
ne m'a pas reconnu.

« Tu as un peu grossi, George, ai-je remarqué.

— C'est la nourriture actuelle, répondit George. Elle
fait engraisser.

— Il y a combien de temps que nous ne nous sommes
pas vus, George ? Ça doit faire plusieurs années....

— Je crois que la dernière fois c'était après les élections, dit George.

— Quelles élections ? »

George réfléchit un moment.

« Celles de Coolidge », dit-il.

Je demandai deux autres whiskies.

« As-tu remarqué, dis-je, que ces Martinis sont beaucoup moins forts qu'ils n'étaient ?

— Ah ! ce n'est plus comme au bon vieux temps
de la prohibition, me répondit George. Tu te rappelles
quand nous commandions très fort de la fleur d'oranger
pour boire en douce deux bonnes fines ? Ah !

— Mais, dis donc.... Je me rappelle aussi que tu étais
un fameux avaleur de pâtisserie, George ! Tu y tâtes
toujours ?

— Non, je suis trop gras.... La nourriture actuelle est
trop riche.

— Je sais, tu viens de me le dire il y a un instant....

— J'ai dit ça ?

— Que dirais-tu d'un autre whisky ? Tu as remarqué qu'ils ne sont pas aussi forts qu'autrefois ?

— Dis donc.... Tu me l'as déjà dit....

— Ah !... »

Ce matin en me rasant, je pensais à ce pauvre vieux
George. Je m'arrêtai un moment et regardai mon image
dans la glace.

Ils ne font plus les mêmes miroirs qu'autrefois.

Corey Ford

Y A-T-IL QUELQU'UN POUR M'ENTENDRE ?

JE POSE SIMPLEMENT la question parce que non seulement les gens ne semblent pas me voir, mais ils
parlent *à travers* moi. Je ne peux jamais finir une
histoire. Au moment psychologique, quelqu'un renverse
un verre, on sonne à la porte, voilà ma femme qui,
alertée par une odeur de brûlé, se lève. Sans arrêt, je
suis interrompu, et au moment où je crois pouvoir me
faire entendre de nouveau de mon interlocuteur c'est
lui qui commence à me raconter une histoire (inutile de
continuer la mienne, il la connaît).

Il y a certainement quelque chose dans ma voix qui
doit faire crier les enfants. Ou qui les incite à tirailler la
manche de leur père au milieu de mon histoire. A travers

le chuchotement, je perçois : « Mais j'ai besoin d'y aller TOUT DE SUITE ! » Mon hôte peut être également obligé de se lever pour laisser sortir le chat, ou pour faire entrer le chien. Parfois on entend un crissement de freins dans la rue, et tout le monde regarde vers la fenêtre, attentif au bruit de la collision (cela bien entendu lorsque je VEUX que les gens écoutent une bonne histoire. En revanche, si je commence à raconter à un ami une petite histoire sans importance, il se fait dans la pièce un silence de mort, et tout le monde me suit attentivement pendant que je patauge en cherchant un moyen de finir en beauté).

Tout ce que je dis semble rappeler aux gens ce qu'ils avaient à me dire. Hier soir, au dîner, je voulus raconter la chose la plus drôle qui nous fût arrivée quand nous sommes allés en voiture dans le Maine. La dame qui me faisait face m'interrompit pour dire qu'elle était allée elle-même dans le Maine l'été dernier : nous étions-nous arrêtés à Ogunquit ? Il y a un petit coin à Ogunquit où l'on peut acheter les meilleurs homards du monde.... Ah ! si seulement elle pouvait se souvenir du nom !.... Cela incita la dame qui était à ma droite à parler d'un restaurant de Boston où l'on peut commander les meilleurs clams frits, tandis que ma voisine de gauche affirmait, à propos de clams, que si l'on veut vraiment manger les meilleurs fruits de mer il faut aller dans un restaurant de Long Island. Enchaînant, notre hôtesse pria tout le monde de se lever pour passer au salon et regarder la télévision.

* ***

Les femmes sont des « stoppeuses » d'histoires nées. Il y a l'interruptrice bénévole qui tue l'effet de bon cœur

et me demande en plein récit si je suis sûr d'être à mon
aise dans ce fauteuil. Ai-je besoin d'un cendrier ? Un
peu plus de sucre ? Son regard ne cesse d'errer dans la
pièce pendant que je parle, et au moment précis où
j'atteins le point culminant de mon récit, la voilà
toute radieuse qui salue d'une main enthousiaste des
invités qui viennent d'arriver. « Mais on dirait Mr. et
Mrs. Alvord ! Vous arrivez bien ! George était en train
de nous raconter la chose la plus drôle qui lui soit arrivée
quand il est allé dans le Maine en voiture. Je suis sûre
que cela vous amusera de l'entendre aussi. Recommencez, George... oh ! si.... »

Il y a aussi l'interruptrice nerveuse qui, sans arrêt,
entend des bruits. Quelqu'un marche au-dessus.... Ou
bien c'est une fuite d'eau. « Écoutez ! » chuchote-t-elle
en levant la main. Le temps au mari de la convaincre
qu'il s'agit seulement du réglage des radiateurs — et
votre effet est mort et enterré.

Un bon massacreur d'histoires n'a pas besoin de
parler pour vous interrompre. Il pénètre dans le salon
sur la pointe des pieds quand vous en êtes à mi-chemin,
se joint au groupe avec un sourire d'excuse, et, d'un
signe de la main, vous invite à poursuivre sans vous
préoccuper de lui. Quand sa chaise a fini de craquer,
vous recommencez l'histoire. Il écoute avec un intérêt
trop intense pour être vrai, ses yeux ne quittent pas
votre visage, cependant qu'il fouille ses poches à la
recherche de sa pipe, la tape élégamment contre le cendrier de porcelaine et souffle dedans une ou deux fois,
en faisant un bruit déplaisant. Tout en vous regardant
attentivement, il sort sa blague, bourre sa pipe et cherche
ses allumettes à tâtons. Elles ne sont pas dans les poches
de son veston, il tâte alors son gilet, puis ses poches de
pantalon, se tapotant un peu partout jusqu'à ce que
vous lui présentiez, en désespoir de cause, la flamme de

votre briquet. Votre histoire est cuite, mais vous avez au moins la satisfaction de brûler sa moustache.

Les choses tuent les histoires aussi sûrement que les gens. Vous commencez à raconter votre affaire à un fondé de pouvoir. Vous avez à peine prononcé la première phrase que sa secrétaire passe la tête à la porte pour annoncer qu'elle a Londres, Mr. Threep. Threep termine avec Londres et reprend une position confortable dans son fauteuil tournant en disant : « Bon, alors où en étions-nous ? » quand sa secrétaire apparaît de nouveau pour dire qu'elle a Chicago. La meilleure solution dans ce cas est de prendre son manteau et son chapeau, de se diriger vers la première cabine téléphonique dans la rue et de téléphoner au fondé de pouvoir en faisant payer la communication par le bureau.

Il y a enfin le freineur d'histoires qui vous corrige à chaque mot. Je prendrai par exemple la chose la plus drôle qui nous soit arrivée quand nous sommes allés en voiture dans le Maine. Ma femme aime beaucoup cette histoire; elle me demande toujours de la raconter quand nous sommes invités à dîner.

« Raconte l'histoire qui nous est arrivée quand nous sommes allés dans le Maine, George, insiste-t-elle. Écoutez bien, tout le monde, vous allez mourir de rire ! Dis-la avec l'accent, George. »

Je commence :

« L'année dernière, nous étions en route pour le Maine....

— Ce n'était pas l'année dernière, George, dit ma femme pour m'aider, c'était l'année d'avant, puisque l'été dernier nous étions au Cap.

— C'est vrai, mais ça ne fait rien.... *(Je recommence.)* Nous essayions d'arriver à un endroit qui s'appelle Simsbury....

— Sudbury, interrompt ma femme, je suis sûre que c'était Sudbury, puisque nous devions rendre visite aux Twitchell.

— Je connaissais des Twitchell, remarque l'hôte, manifestant sa première marque d'intérêt, mais ils habitaient la Pennsylvanie.

— Non, le New Jersey, rectifie sa femme. D'ailleurs, ils s'appelaient Twigger.

— Continue ton histoire, George ! Ne t'arrête pas à chaque instant !

— Tout d'un coup, nous nous apercevons que nous avons pris la mauvaise route. Nous frappons à la porte d'une ferme....

— Nous n'avons pas exactement frappé, note ma femme. Nous avons donné deux coups d'avertisseur, car le fermier travaillait dans la cour. Tu ne te souviens pas, George ? C'est le plus important de l'histoire.

— Je disais donc.... »

Mais je constate que personne ne me regarde. Ils regardent tous derrière moi, vers la porte. La femme de chambre fait un signe de tête.

« Le dîner est servi, annonce l'hôtesse, se levant vivement. Je suis sûre que vous mourez de faim ! »

Un jour, tout de même, j'aimerais vous raconter la chose la plus drôle qui nous est arrivée quand nous sommes allés en voiture dans le Maine. Nous nous étions donc arrêtés à cette ferme. Le fermier dit :

(*Note de l'éditeur :* Désolé de vous interrompre, monsieur Ford, mais c'est tout ce que nous pouvons vous donner comme place.)

JAMES THURBER

James Thurber, l'un des plus cé-
lèbres humoristes américains, aujour-
d'hui presque aveugle mais toujours
fécond, né à Colombus, Ohio, en 1894,
a mis tout son art dans ce court récit
où le rêve et la réalité, étroitement mêlés,
se partagent la vie d'un homme moyen :
Walter Mitty est un Dupont américain
qui rêve à son volant d'être commandant
d'hydravion et que la seule vue d'un
hôpital métamorphose en grand chirur-
gien. Aspirations secrètes vite étouffées
par la domination bourgeoise de sa
femme.

LA VIE SECRÈTE DE WALTER MITTY

« Nous passerons ! » *La voix du commandant était coupante comme la glace. Il portait son grand uniforme, sa casquette blanche à galons d'or inclinée avec désinvolture sur son œil gris et froid.* « C'est impossible, commandant.... Ça tourne à la tempête, si vous voulez mon avis.... — Je ne vous demande pas votre avis, lieutenant Berg ! Allumez les phares ! Altitude 8 500 ! Nous passerons ! » *Le battement des cylindres s'accéléra :*

ta-pocketa-pocketa-pocketa-pocketa-pocketa. Le comman-dant regarda le givre qui obstruait les hublots. Puis ayant considéré les multiples cadrans du tableau de bord il manipula les commandes. « Passez en 8 auxiliaire ! » hurla-t-il. « Passez en 8 auxiliaire ! » répéta le lieutenant. « Pleins gaz au moteur 3 ! » ajouta le commandant. « Pleins gaz au moteur 3 ! » Les membres de l'équipage, chacun absorbé par sa tâche dans le gigantesque hydravion huit moteurs de la Marine, échangèrent des clins d'yeux, des sourires. « Avec le Vieux, on passera, se disaient-ils. Le Vieux n'a pas froid aux yeux !... »

. . . .

« Pas si vite ! Tu vas trop vite ! dit Mrs. Mitty. Pourquoi conduis-tu aussi vite ?

— Hein ? » fit Walter Mitty.

Il regarda sa femme. Assise à côté de lui, elle lui sembla aussi étrangère qu'une inconnue qui l'eût inter-pellé dans une foule.

« Tu roulais à 90 ! dit-elle. Tu sais que je n'aime pas aller à plus de 60. Nous marchions à 90. »

Walter Mitty poursuit en silence sa route vers Waterbury. Le vrombrissement du SN 202, pris dans la plus furieuse tempête que la Marine eût affrontée depuis vingt ans, s'était atténué en gagnant les couches les plus intimes de son cerveau.

« Te voilà de nouveau tendu, remarqua Mrs. Mitty. Tu es dans un de tes mauvais jours. J'aimerais tant que tu te fasses examiner par le docteur Renshaw ! »

Walter Mitty arrêta la voiture devant la boutique du coiffeur. Sa femme descendit.

« Pense à acheter des caoutchoucs pendant que je serai chez le coiffeur, dit-elle.

— Je n'ai pas besoin de caoutchoucs », rétorqua Mitty.

Elle remit sa glace dans son sac à main.

« Nous avons déjà discuté de tout ça : tu n'es plus un jeune homme ! *(Il donna un petit coup d'accélérateur.)* Pourquoi ne mets-tu pas tes gants ? Tu les as perdus ? »

Walter Mitty fouilla dans sa poche et en sortit ses gants. Il les enfila, mais aussitôt que sa femme eut disparu, profitant d'un feu rouge, il tenta de les retirer.

« Alors, vous avancez ? » aboya un agent, comme le feu était passé au vert.

Mitty remit vivement ses gants et fit une embardée. Il roula sans but pendant quelque temps, puis dépassa l'hôpital pour garer sa voiture.

. . . .

« C'est le banquier millionnaire Wellington McMillan », dit la jolie infirmière. « Ah ? » fit Walter Mitty en retirant lentement ses gants. « Qui le soigne ? — Les docteurs Renshaw et Benbow, mais il est venu deux spécialistes, le docteur Remington, de New York, et Mr. Pritchard-Mitford, de Londres, qui est arrivé par avion. » Une porte s'ouvrit dans un long et glacial corridor. Le docteur Renshaw apparut, l'air hagard, perdu. « Bonjour, Mitty. Nous passons un mauvais quart d'heure avec McMillan, vous savez... le banquier milliardaire, ami intime du président.... Obstruction du canal ductile. Tertiaire. J'aimerais que vous veniez jeter un coup d'œil. — Volontiers », dit Mitty. Dans la salle d'opération, les présentations se firent à voix basse. « Docteur Remington, docteur Mitty.... Mr. Pritchard-Mitford, docteur Mitty. — J'ai lu votre ouvrage sur la streptoricose, dit Pritchard-Mitford en lui serrant la main. C'est une somme, monsieur ! — Merci, dit Walter Mitty. — Je ne savais pas que vous étiez aux États-Unis, Mitty, grogna Remington. Il était vraiment superflu, dans ces conditions, de me faire venir avec Mitford pour une tertiaire.... — Vous êtes trop aimable ! » dit Mitty. Un gigantesque robot relié à la table d'opération par un réseau inextricable de tubes et de

fils entra en action, émettant des bruits bizarres : pocketa-
pocketa-pocketa.... « *Le nouvel appareil d'anesthésie est
en train de flancher ! s'écria un interne. Et il n'y a personne dans tout le pays qui soit capable de le réparer !
— Du calme, mon vieux !* » *fit observer Mitty froidement,
à mi-voix. D'un bond, il fut près de la machine qui disait
à présent :* pocketa-pocketa-couip-pocketa-couip.... *Il
manœuvra une série de leviers chromés. « Passez-moi un
stylo !* » *ordonna-t-il. Quelqu'un lui en tendit un. Mitty
retira du robot le piston défectueux et lui substitua le
stylo. « Ça tiendra dix minutes. Continuez l'opération !* »
*Une infirmière vint en hâte auprès de Renshaw et lui
parla à l'oreille. Mitty le vit pâlir. « La coreopsis s'est
déclarée ! annonça Renshaw d'une voix crispée. Voulez-
vous vous en charger, Mitty ?* » *Mitty le regarda, aperçut
le docteur Benbow en train de boire. Les visages des deux
grands spécialistes étaient graves, rongés par l'inquiétude. « Comme vous voudrez !* » *concéda Mitty. On lui
passa une blouse blanche, il ajusta son masque, enfila des
gants de caoutchouc très fin. Les infirmières lui tendirent
des bistouris luisants....*

. . . .

« Recule, pépère ! Attention à la Buick ! »

Walter Mitty freina.

« T'es dans la mauvaise direction, mon vieux, dit le
gardien du parking en examinant Mitty de près.

— C'est pourtant vrai... », bafouilla Mitty.

Il remonta prudemment en marche arrière la pente
réservée à la sortie.

« Laissez-la ici, dit le gardien, je la rangerai. »

Mitty descendit de voiture.

« Mais pour ça... vaut mieux me laisser la clef ! »

— Oh ! » s'écria Mitty en remettant la clef de contact
à l'homme.

Le gardien sauta dans la voiture, fit une marche

arrière insolente de rapidité et rangea le véhicule où il voulait.

« Ils sont vaniteux comme des coqs ! pensa Mitty en suivant la grand-rue ; ils s'imaginent qu'ils savent tout ! » Un jour d'hiver, en essayant de retirer ses chaînes antineige à la sortie de New Milford, il les avait entortillées autour des essieux. Il avait dû faire appel à un dépanneur pour les dérouler, un jeune garagiste narquois. Depuis, Mrs. Mitty exigeait que son mari fît enlever ses chaînes dans un garage. « La prochaine fois, je mettrai mon bras en écharpe ; comme ça, ils ne ricaneront pas. Ils verront bien que je ne peux pas enlever les chaînes tout seul. » Il fit un faux pas sur la boue glissante. « Caoutchoucs », pensa-t-il, et il se mit en quête d'un magasin de chaussures.

Quand il en sortit, portant sous son bras la boîte aux caoutchoucs, Walter Mitty se demanda quelle était l'autre chose que sa femme lui avait dit d'acheter. Elle le lui avait pourtant répété trois fois.... Au fond, il haïssait ces expéditions hebdomadaires à la ville ; il faisait toujours des erreurs dans les achats. *Kleenex, ammoniaque, lames de rasoir ?*... Non. *Pâte dentifrice, brosse à dents, bicarbonate, carborendum ?*... Il y renonça. Mais elle s'en souviendrait. « Où est le truc ? demanderait-elle. Ne me dis pas que tu as oublié le truc ? » Un vendeur de journaux passa, criant quelque chose à propos du procès de Waterbury....

. . . .

« Ceci vous rafraîchira peut-être la mémoire ! » Le procureur brandit un énorme revolver et le pointa vers le personnage impassible qui occupait le banc de l'accusé. « Avez-vous déjà vu cet objet ? » Walter Mitty prit l'arme et l'examina en expert. « C'est mon Webley-Vickers 50,80 », dit-il très calme. Un murmure d'émotion parcourut la salle. « Silence ! réclama le juge, ou je fais évacuer la

salle ! » « Vous êtes un tireur de premier ordre, paraît-il... », déclara le procureur d'une voix lourde d'insinuations. L'avocat de la défense sursauta en hurlant : « Je proteste ! Nous avons démontré que notre client ne pouvait pas avoir tiré ! Nous avons prouvé que la nuit du 14 juillet il portait son bras droit en écharpe ! » Walter Mitty leva vivement la main en signe d'apaisement : les avocats aux prises se turent. « Avec n'importe quel revolver, de quelque marque que ce soit, dit Mitty d'un ton assuré, j'aurais pu tuer Gregory Fitzhurst à trente mètres, et de la main gauche ! » Le tumulte se déchaîna dans la salle. Un cri de femme fusa dans le brouhaha général, et une brune ravissante se précipita dans les bras de Walter Mitty. Le procureur la secoua brutalement pour l'en séparer. Sans même se lever de son banc, Mitty lui décocha un uppercut au menton. « Goujat ! »

. . . .

« Biscuits de chien ! » s'écria soudain Walter Mitty. Il interrompit sa marche. Les maisons de Waterbury surgirent des brumes du tribunal et l'environnèrent de nouveau. Une passante se mit à rire.

« Il a dit « biscuits de chien », confia-t-elle à son compagnon. Il cause tout seul ! »

Walter Mitty pressa le pas. Il entra dans une épicerie — pas la première, qu'il dépassa, mais une autre, plus petite, au bout de la rue.

« Je voudrais des biscuits pour chiots, dit-il au vendeur.

— Vous avez une préférence pour une marque, monsieur ? »

Le meilleur tireur du monde réfléchit un moment.

« Je crois qu'il y a écrit « Ce que votre petit chien réclame » sur la boîte », dit-il.

Regardant sa montre, Mitty estima que sa femme en aurait fini chez le coiffeur dans un quart d'heure.

A moins que le séchage ne soit raté : le séchage était quelquefois raté. Elle n'aimait pas arriver la première à l'hôtel ; il faudrait qu'il l'y attendît, comme d'habitude. Parvenu dans le hall, il déposa les caoutchoucs et les biscuits de chien près d'un moelleux fauteuil de cuir, puis choisit sur la table un vieux magazine et se laissa tomber sur son siège. *L'Allemagne peut-elle conquérir le monde par l'aviation ?* Walter Mitty regarda les photos de bombardiers et de rues en ruine.

. . . .

« Le jeune Raleigh est touché », dit le sergent. Le capitaine Mitty lui lança un coup d'œil à travers ses cheveux en broussaille : « Couchez-le avec les autres ! Je volerai seul ! — Mais c'est impossible, remarqua le sergent, anxieux. Il faut deux hommes pour manier ce bombardier, et les Fritz n'arrêtent pas de tirer ! La base de von Ritchman se trouve quelque part entre ici et Saulier. — Il faut absolument qu'on ait ce dépôt de munitions ! J'y vais. Une goutte de cognac ? » Il en versa un verre pour le sergent et un pour lui. Le feu redoublait de violence autour de l'abri, dont la porte était criblée de balles. Il y eut un écroulement de rondins ; des éclats de bois volèrent à travers la pièce. « Un peu court, observa le capitaine Mitty avec insouciance. — Le tir de barrage se rapproche, capitaine ! — On ne vit qu'une fois, sergent, non ? » Il avala un nouveau verre de cognac. « Je n'ai jamais vu personne tenir le cognac comme vous, capitaine, sauf votre respect. » Le capitaine Mitty se leva et prit son gros Webley-Vickers automatique. « Ça représente soixante-dix kilomètres à travers l'enfer, mon capitaine ! » A quoi Mitty, finissant son verre de cognac, répondit doucement : « Où ne serait-on pas en enfer en ce moment ? » La canonnade s'intensifiait, le tir des mitrailleuses crépitait ; au loin on percevait le menaçant pocketa-pocketa-pocketa *des lance-flammes. Walter Mitty se dirigea vers la porte de l'abri en fredonnant*

7

Auprès de ma blonde. *Il se retourna, fit un signe de la main au sergent : « Haut les cœurs ! » s'écria-t-il....*

. . . .

Il sentit qu'on frappait son épaule.

« Je t'ai cherché dans tout l'hôtel ! dit Mrs. Mitty. Pourquoi te caches-tu dans ce vieux fauteuil ? Comment veux-tu que je te trouve ?

— Ça se rapproche, murmura Walter Mitty d'un air vague.

— Comment ?... que dis-tu ?... Est-ce que tu as les trucs au moins.... Les biscuits de chien ? Qu'est-ce qu'il y a dans cette boîte ?

— Les caoutchoucs.

— Tu n'aurais pas pu les mettre dans le magasin ?

— Je réfléchissais. Est-ce que tu conçois que je puisse réfléchir quelquefois ? »

Elle le regarda et conclut :

« Je prendrai ta température dès que nous serons rentrés ! »

Ils quittèrent l'hôtel par la porte-tambour qui fit entendre, en tournant, un sifflement ironique. Ils se trouvaient déjà près du parking, quand, en passant devant la pharmacie du coin, Mrs. Mitty s'arrêta :

« Attends-moi ici. J'ai oublié quelque chose. J'en ai pour une minute ».

Elle en eut pour plus d'une minute. Il alluma une cigarette. La pluie commença à tomber, une pluie mêlée de grêle. Walter Mitty fumait, adossé au mur de la pharmacie.... Il redressa les épaules et joignit les talons.

« Au diable votre bandeau ! » cria Mitty avec dédain.

Il aspira une dernière bouffée de tabac et jeta sa cigarette. Puis, droit et immobile, fier et méprisant, un sourire fugitif aux lèvres, Walter Mitty l'In-domptable, emportant son secret dans la tombe, fit face au peloton d'exécution.

GUSTAV MATTSSON

> *Chimiste professionnel, journaliste*
> *amateur, Gustav Mattsson renonça*
> *à occuper une chaire à l'université*
> *de Helsingfors pour diriger la rédac-*
> *tion d'un petit journal boulevardier.*
> *Tuberculeux, il est mort en 1914.*

UNE NUIT SUR LE TAGE

LE DÉPART du *Tabora* ayant été annoncé pour sept heures du soir, nous pensions, étant à Lisbonne, qu'il fallait donner au temps des libertés méri-dionales. Pourtant, à sept heures moins le quart, la sirène du *Tabora* hurla, provoquant sur le quai de la *Alfandega* [1] un grand remue-ménage de mendiants, de colporteurs et de mulets. A sept heures moins dix un gong chassa du bord tous les inutiles. Le dernier vendeur

1. Douane.

de cartes postales et la dernière marchande de lacets disparurent du pont à sept heures moins cinq. Et à sept heures précises le *Tabora*, tiré par deux remorqueurs, s'ébranla. Ce procès-verbal a son importance : une minute plus tard, la caisse du port touchait un droit d'amarrage supplémentaire.

En vérité, nous ne partîmes pas vraiment. Nous nous déplaçâmes sur le fleuve, assez loin du bord, et l'ancre fut jetée. Pourquoi ? C'est une histoire bizarre qui, bien qu'elle traite de fret et de tarifs douaniers, ne manque pas de piquant.

A l'arrivée du *Tabora*, quelques chalands étaient venus se ranger à ses côtés sur le Tage. Les cabestans avaient commencé à tourner. Toute la nuit on transborda une grande partie de notre cargaison. A l'aube, les cales des chalands étaient si pleines que l'eau passait par-dessus bord. Ayant observé ce trafic, je constatai que la plupart des marchandises étaient des spiritueux en caisses et en fûts. *Likor* ou *Nectar*, disaient les inscriptions. Cette cargaison, venue avec nous de Hambourg, était destinée à Beira, en Afrique Orientale Portugaise. Nous devions aller à Beira *via* Le Cap, mais comme le trajet de Lisbonne à Beira est plus court par Suez, je supposai qu'il y avait avantage à ce que les marchandises fussent prises en charge par un autre navire, sans doute attendu.

A mon grand étonnement, les six chalands demeurèrent à notre flanc toute la journée. Et quand le *Tabora* partit à sept heures ce soir-là, ils le suivirent. C'est alors que commença une opération plus étrange encore. A peine nous étions-nous immobilisés sur le Tage que des lampes à arc furent allumées au-dessus des écoutilles. Celles-ci s'ouvrirent, les cabestans recommencèrent à tourner, et toute la charge qui avait été transbordée dans les chalands revint prendre place chez nous. Cette fois-ci, cependant, les inscriptions *Nectar* et *Likor* avaient disparu.

Nous crûmes à une erreur, à un contrordre. Il n'en était rien. Le fret de Hambourg à Beira est passible d'un droit de douane fort lourd. Celui de Lisbonne à Beira ne relève que d'une douane locale. Si donc la marchandise est chargée à Lisbonne par des chalands portugais, l'origine hambourgeoise disparaît, le port d'embarquement devient lusitanien — et les frais de douane diminuent de 20 %.

Mais, demandera-t-on, ne doit-on pas acquitter de droits pour des marchandises qui, venant de Hambourg, sont chargées à Lisbonne ? Sans doute, mais ces droits sont sensiblement inférieurs au montant de l'économie plus haut indiquée. La supercherie réside dans le fait que la marchandise n'est pas considérée comme arrivée à Lisbonne. Elle n'a pas reposé sur le quai, en terre portugaise. Ce que le capitaine s'amuse à jeter par-dessus bord, du côté du large, ne regarde personne.

En un mot, les spiritueux de Hambourg n'arrivent jamais à Lisbonne. Mais ils en partent, tombés du ciel.

Je songeais, sous les étoiles, à cette duperie et j'allais regagner ma cabine quand je fus rejoint sur le pont par M. Oxybenz, en proie à la plus vive agitation. M. Oxybenz est un commis voyageur allemand entre deux âges, et toujours entre deux villes. Il s'arrêta, regarda, dit : « Ah ! docteur ! vous permettez ? » et commença ce monologue :

« Maudits Portugais ! Je ne suis pas près de leur pardonner ce qui vient de m'arriver ! J'étais sur la Praça, à flâner, quand un gamin vient vers moi... un coquin... pour me montrer des images... enfin vous savez, des images pour messieurs... pour messieurs mûrs. Je les examine... oh ! par curiosité... mon Dieu ! un homme n'est qu'un homme après tout.... Je dois dire qu'il y en avait d'assez gratinées.... Je lui demandai : « Combien veux-tu pour ça ? — Trois mille reis, chuchote-t-il. Trois mille reis la demi-douzaine. » Je calcule : ça fait douze marks. « Je t'en donne six !... Je veux dire quinze cents reis. » Évidemment, c'était beaucoup, mais que voulez-vous, chez moi, à Magdebourg, il n'y a pas d'images comme celles-là, et puis, je vous le dis, un homme n'est qu'un homme.... Les femmes ne comprennent pas ça. C'est sans importance. Bref il me remet une enveloppe bleue et file. Ah ! docteur ! le vaurien !... Quand je suis revenu dans ma cabine, j'ai ouvert l'enveloppe pour me distraire. Savez-vous ce que j'ai trouvé ?... Six cartes postales ! Six cartes postales tout à fait ordinaires : des vues d'églises, de monuments publics, mais plutôt des églises.... Et ce monstre m'avait montré des choses formidables ! Quel bandit ! »

M. Oxybenz reprit haleine, s'épongea le front. Je lui exprimai ma sympathie.

Sur le plan de la morale, le cas était intéressant : un adulte sur le point de satisfaire un désir inavouable sous prétexte qu'il n'est qu'un homme est ramené dans la voie de la vertu par la ruse d'un gamin qui remplace des nymphes par des ciboires. Fallait-il considérer cet enfant portugais comme un missionnaire de la Providence victorieux de la tentation, ou comme un escroc ?

En cette nuit des dupes, je ne trouvai pas de réponse à la question.

George Mikes

> *Hongrois né à Budapest et natura-*
> *lisé Anglais, George Mikes, qui vit à*
> *Londres, est le type même de ce mer-*
> *veilleux produit que donne le « croise-*
> *ment » Europe centrale-Grande-Bre-*
> *tagne. Quoiqu'il pense et écrive en*
> *anglais, il conserve son œil d'alien pour*
> *observer les travers des Britanniques*
> *et s'est rendu célèbre par un petit*
> *livre intitulé* Comment être un étran-
> ger. *Sa verve s'exerce ici aux dépens*
> *des Italiens.*

ITALIE (POUR DÉBUTANTS)

A. — LA CATHÉDRALE

AVANT de pénétrer dans la cathédrale, admirez la merveilleuse place sur laquelle elle a été construite. C'est la troisième parmi les plus grandes places d'Italie. Elle fut dessinée par Michel-Ange lui-même. Ou plutôt par quelques-uns de ses meilleurs élèves sous la direction personnelle du maître — voire par un artiste de la classe de Michel-Ange, si ce n'est supérieur. N'hésitez donc pas à vouer votre admiration à cet ensemble majestueux — sans trop vous attarder toutefois, sous peine de voir quelqu'un de votre époque vous vendre un Parker 51 avant que vous ayez eu le temps de comprendre.

La cathédrale de .... [1], cette antique et magnifique cité, offre un intérêt particulier : elle occupe la troisième place parmi les plus grandes cathédrales d'Italie. C'est un bijou de style gothique (pas pur gothique, mais assez pur pour la majorité des touristes). Commencée en 1123, elle fut consacrée en 1611, mais terminée seulement le 16 juillet 1727. Suivant une coutume bizarre, les Italiens aiment désigner la cathédrale sous l'appellation de *Il Duomo*. C'est là une de leurs vieilles traditions. En fait, la troisième parmi les plus anciennes traditions italiennes.

Dès l'entrée franchie, on notera un escalier en spirale. Si l'on veut, on pourra compter 267 marches de marbre. C'est le troisième parmi les plus grands escaliers en spirale d'Italie. *(L'ascenseur vous évitera de compter les marches, en échange de quoi vous paierez deux cents lires de plus.)* Sans doute serez-vous surpris par le grand nombre de statues et de bustes dont cette cathédrale est emplie : il y en a 673 en tout. Il n'existe que deux autres cathédrales en Italie qui en comptent davantage.

A main droite, sous la première arche de la grande nef, vous admirerez l'œuvre, célèbre dans le monde entier, de Ghirlandaio, *Le Jugement dernier*. En continuant tout droit, sur le même côté, vous trouverez *Les Noces de Cana*, de Fra Filippo Lippi. On ne saurait trop recommander une visite au Trésor *** *(deux cents lires de supplément)* où sont conservés un calice d'or offert par Charlemagne au pape et un calice d'argent offert par le pape à Charlemagne. Il y a aussi une cape brodée d'or

---

1. Inscrire ici au crayon le nom de la ville. Effacer par la suite.

envoyée au pape par Philippe II. On peut voir son pendant — la cape envoyée par le pape à Philippe II — à peu près dans chaque cathédrale d'Espagne.

Les merveilleux vitraux du transept *g.* sont l'orgueil du *Duomo* ***. Ils ont été conçus par Léonard de Vinci lui-même. Ou par un de ses élèves. Ou par un autre artiste aussi talentueux que Léonard, voire sensiblement plus.

Avant de quitter la cathédrale, on descendra l'escalier situé face aux tombes de pierre des trois archevêques du XIIe siècle. On admirera particulièrement le *Tombeau du Saint* **. Le plus souvent, il s'agit de saint Georges, qui tua le Dragon. La popularité d'un saint en Italie peut se mesurer au nombre de cathédrales dans lesquelles Il (Elle) est enterré. *Ex æquo* pour la 3e place : sainte Augustine et sainte Bénédicte *(treize tombes chacune)*.

On notera que, dans cette cathédrale, la tombe elle-même est protégée par une splendide grille de fer forgé. En général, le sol est jonché de pièces de monnaie et de billets de banque que les âmes pieuses ont jetés à travers les barreaux. Suivant une vieille croyance populaire, le saint répondra par un miracle à tout sacrifice moné-taire. De petits miracles peuvent être accomplis à partir de cent lires et au-dessus *(cinquante lires pour les mili-taires et les enfants de moins de douze ans)*. Miracles vraiment miraculeux à partir de mille lires *(deux mille en saison)*.

B. — LA VILLE

En quittant la cathédrale, traversez la place et tour-nez à gauche. Ne manquez pas de faire une visite complè-te de la ville : c'est une des plus belles et des plus an-ciennes villes d'Italie. Village étrusque à l'origine, elle fut, à l'époque romaine, habitée surtout par des Romains.

Après la chute de Rome, la ville fut occupée par des Barbares venus du nord, puis par des Barbares venus de l'est, plus tard par des Barbares revenus du nord. Aux xe et xie siècles, elle servit de champ de bataille aux seigneurs féodaux. Au xiie siècle, elle devint une république indépendante ; pour célébrer cette indépendance, on brûla vifs sur la place du Marché un grand nombre d'hérétiques. Par la suite, la ville devait être occupée par Napoléon qui mit un de ses frères sur le trône. Plus tard elle fut occupée par les Autrichiens auxquels succédèrent les Français, qui laissèrent la place aux Autrichiens. La république se joignit au royaume d'Italie en 1860.

De nombreux édifices qui ont survécu à ces siècles de luttes et de destructions sont de véritables chefs-d'œuvre. De nombreux autres édifices qui n'y ont pas survécu étaient de véritables chefs-d'œuvre. Dans la troisième rue à droite vous trouverez le *Museo*[1], qui abrite une des plus belles collections d'art d'Italie. En sortant du *Museo*, tournez tout de suite à droite et descendez le splendide escalier Renaissance ; tournez aussitôt à gauche et remontez. Dans l'église San Giovanni (une des plus belles églises Renaissance d'Italie) vous pourrez admirer le chef-d'œuvre du Tintoret : *La Madone et les quatre Saints*. Dans l'église San Giacomo, vous pourrez voir le chef-d'œuvre de Botticelli : *La Madone et les deux Saints*. Dans l'église de San Bartolomeo, ne manquez pas de contempler l'immense toile de Tiepolo : *La Madone et les vingt-trois Saints*. Quant à la modeste chapelle de San Marco, elle offre pour intérêt principal la petite toile du Pérugin : *La Madone avec un seul Saint*.

Dans la plupart de ces églises, l'entrée est gratuite, exception faite des quelques centaines de lires que l'on

_____

1. Musée, simplement.

donnera au prêtre à la porte principale (inutile d'essayer la porte latérale : il y a un autre prêtre). — A Rome, dans la basilique de Saint-Pierre-aux-Liens, où se trouve le *Moïse*, de Michel-Ange, un prêtre vous arrête pour vous demander : « Pourquoi voulez-vous entrer ? » Si vous dites : « Pour voir le *Moïse* », vous êtes prié de verser deux cents lires. Cette somme, loin d'être un droit d'entrée, constitue une contribution volontaire. Si votre intention est de prier, l'entrée est gratuite. Si vous désirez entrer pour prier *et* pour voir le *Moïse*, vous paierez demi-tarif.

Mais continuons la visite de la ville. En tournant à main droite, vous atteindrez bientôt la Forteresse construite entre 1254 et 1355. Elle sert maintenant de musée[1]. L'édifice adjacent, à droite, est l'ancien musée, maintenant hôtel de ville.

Quittant l'hôtel de ville, vous pénétrez dans la Vieille Cité, extrêmement médiévale avec une touche Renaissance. Là, ainsi que dans les quartiers alentour, vous pourrez contempler un certain nombre de citoyens très romantiques. La plupart d'entre eux sont affamés, ce qui est également romantique. On notera leurs pittoresques guenilles, qui, en hiver, deviennent encore plus pittoresques. Odeur elle-même très pittoresque.

Vous vous arrêterez alors pour réfléchir un peu. L'Italie a hérité des temps anciens la majeure partie de ses richesses et de ses beautés. Pas toutes, bien sûr : l'opéra italien, pour ne citer qu'un exemple, est un phénomène récent. En fait, aucun pays ne saurait prétendre à égaler la richesse de l'Italie ; et bien peu peuvent égaler sa pauvreté. Les Italiens, en somme, ont trouvé avec une stupéfiante habileté la réponse à cette question apparemment insoluble : comment rester pauvre avec un héritage fabuleux ?

1. « Museo » en italien.

Stephen Potter

*Parmi les humoristes anglais ac-
tuels, Stephen Potter occupe une place
spéciale. De ses anciennes fonctions
de chargé de cours de littérature anglaise à l'université de Londres, il
hérita un penchant qui l'a conduit à
inventer des universités imaginaires
où il enseigne à ses élèves à surmonter
tous les obstacles de la vie sociale, artistique, mondaine, sportive. Le voici
devenu expert — très particulier — en
tennis.*

L'ART DE GAGNER AU JEU SANS TRICHER
VRAIMENT

MON AMI l'expert H. Farjeon avait fait aménager chez lui, à Forest Hill, un court de tennis « maison » dont il connaissait à fond les particularités : un filet allant en pente douce d'un poteau à l'autre, une ligne de fond glissante du côté des aubépines, sèche mais plus large de dix-sept centimètres et demi en face, quelques trous, savamment dissimulés, lui permettaient de reconduire rapidement au vestiaire ses invités

les plus coriaces. C'est peut-être chez lui que m'est venue
l'idée de nouveaux principes. Peut-être chez les Meynell
au cours de dramatiques parties de ping-pong. Il m'arriva
aussi d'échanger des notes à ce sujet avec l'expert bien
connu G. Odoreida. En vérité, la réalisation de ce projet
a été graduelle. Il a mûri dans les innombrables ves-
tiaires de ces clubs, où les joueurs ruminent leurs
défaites dans l'âcre odeur du linge mouillé et du lino-
léum humide. Peu à peu, une nouvelle science s'ouvrait
à moi, un mot naissait dans mon esprit : *gamesmanship*.
Qu'est-ce là ? Difficile de le dire avec exactitude. Disons
donc « l'art de gagner au jeu sans tricher vraiment ».
Cinq cents livres ont été écrits, traitant des jeux et des
sports. Cinq cents livres sur la technique, sur les tac-
tiques. Pas un sur l'art de gagner.

[*Le 8 juin 1931*]

C'est à la suite d'un mémorable match de tennis sur
herbe, disputé le 8 juin 1931, que le voile se leva définitivement et que je commençai à comprendre. Je jouais
alors pour le petit collège londonien de Birkbeck, où
j'enseignais. Mon partenaire de l'époque était C. Joad,
le célèbre joueur, plus connu comme métaphysicien et
pédagogue. Nous avions en général pour adversaires de
jeunes garçons venant de collèges plus importants, et
qui avaient pour eux l'avantage de l'âge comme celui,
plus évident encore, du style. Par exemple ils n'hésitaient
pas à frapper très fort leur balle de service après l'avoir
lancée très haut. Leurs revers, au lieu de partir du nom-
bril, étaient joués, en fait, comme de vrais revers, le
poids du corps porté sur le pied droit, suivant les meilleurs stylistes qui tendent à assimiler le jeu à un exercice
disciplinaire, mais n'en sont pas moins forts.

Nous avions en face de nous ce jour-là deux jeunes

gens particulièrement athlétiques, qui représentaient l'University College. Appelons-les Smith et Brown. Les échanges de balles préliminaires nous démontrèrent aussitôt que, pour le tennis tout au moins, Joad et moi n'avions aucune chance. Le sort désigna les visiteurs pour servir les premiers. Smith, ouvrant le débat, décocha vers Joad un boulet de canon qui arriva si vite sur mon associé que celui-ci, ayant un instant suggéré par son attitude qu'il s'attendait à une faute, ne parvint même pas à approcher sa raquette de la balle. *Score:* quinze-zéro. Smith sert maintenant sur moi. J'ai eu le temps d'évaluer la vitesse de son service : plus heureux que Joad, j'arrive à effleurer la balle du bord de ma raquette. Trente-zéro. Au tour de Joad de recevoir le service. Cette fois, la balle allant en droite ligne sur lui, mon partenaire réussit, prenant sa raquette à deux mains, à la recevoir sur les cordes pour la voir aussitôt repartir dans les airs de l'autre côté du filet et retomber hors du court en plein grillage, loin derrière Brown.

Nous arrivons à la minute psychologique qui allait modifier non seulement le cours de ce match, mais l'avenir même du sport britannique. *Score:* quarante-zéro. Si l'on veut bien se reporter au schéma, on constate que Smith au point S^1 était prêt à traverser le court pour servir sur moi (P). A l'instant même où Smith arriva au point K, a plus de trente centimètres mais moins de soixante du centre géométrique du court (je suis sûr aujourd'hui de ce que je pressentais alors : il y a un moment psychologique), Joad, au point J^2, demanda sur un ton très calme :

« Soyez aimable de me dire, s'il vous plaît, si ma balle était dedans ou dehors. »

Il y a sans doute quelque cynisme là-dedans. On peut y déceler l'influence de l'âge de pierre. Mais c'était mer-

LE COUP DU 8 JUIN 1931

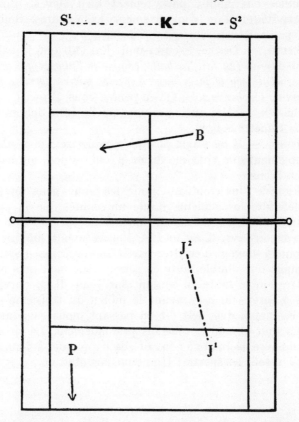

P = Potter ; J = Joad ; S = Smith ; B = Brown. La ligne de traits égaux S1---S2 indique le déplacement du serveur (Smith). K représente le point du court que Smith a atteint tandis que Joad, suivant la ligne formée de points et traits, va de J1 (où il a essayé de retourner le service de Smith) à J2. C'est au moment précis où Smith arrive au point K, ni avant ni après, sur la ligne S1-S2, que J (Joad) parle.

veilleusement calculé pour 1931. Mes élèves doivent comprendre en effet que nous avions affaire à deux jeunes hommes charmants, parfaitement bien élevés, d'une sportivité et d'un comportement exemplaires. Smith (au point K) s'arrêta net.

SMITH. — Désolé, excusez-moi. J'ai CRU que la balle était dehors *(en fait, la balle, comme je l'ai expliqué plus haut, avait heurté le grillage à quatre mètres derrière lui avant de toucher le sol)*. Qu'en pensez-vous, Brown ?

BROWN. — Moi aussi j'ai CRU qu'elle était dehors — mais remettons-la !

JOAD. — Il ne s'agit pas de la remettre : je voulais simplement que vous me disiez si, oui ou non, ma balle était bonne.

Rien de plus troublant, pour des jeunes gens appelés à défendre les couleurs d'une université, que la plus infime allusion mettant en doute leur esprit sportif ou leur savoir-vivre. C'est un fait, nous le savons, mais nous oublions souvent d'en tirer parti. En l'occurrence Smith commit une double faute en servant sur moi, puis une autre double faute en servant sur Joad. Il ne parvint pas à servir un *ace* [1] avant le milieu du troisième set de ce match que, soit dit en passant, nous gagnâmes.

La nuit venue, je réfléchis profondément. La simple manœuvre de Joad ne pouvait-elle s'appliquer à d'autres jeux, à tous les sports ? Un nouvel art était né.

1. Balle de service gagnante.

L'existence de Hector Hugh Munro, connu sous le pseudonyme de Saki, n'est pas sans rappeler celle de Kipling. Né en Birmanie, il fut conduit en Angleterre dès quatre ans et vécut sous la tutelle de ses tantes. Son enfance, dépourvue d'affection maternelle, a marqué toute son œuvre. Après avoir été enrôlé dans la police royale des Indes, dont son père était inspecteur général, Saki, atteint de malaria, fut obligé de retourner en Europe et la parcourut en tous sens comme correspondant du Morning Post, *avant de mourir de la fièvre en 1916.*

LA FENÊTRE OUVERTE

« MA TANTE va descendre tout de suite, monsieur Nuttel, dit une jeune personne de quinze ans très sûre d'elle ; en attendant, vous allez être obligé de me supporter.... »

Framton Nuttel chercha à dire quelque chose qui pût flatter la nièce présente sans porter atteinte à la tante absente. En son for intérieur, il était de plus en plus convaincu que cette succession de visites cérémonieuses

8

chez des inconnus ne conviendrait guère à la cure de calme qui lui avait été prescrite pour ses nerfs.

« Je sais comment ce sera... lui avait dit sa sœur pendant qu'il se préparait à émigrer vers cette retraite de campagne. Tu vas t'enterrer, tu ne trouveras personne à qui parler, tu t'ennuieras tellement que tes nerfs seront à fleur de peau. Enfin... je vais te donner des mots d'introduction pour tous les gens que je connais là-bas. Certains, autant qu'il m'en souvienne, étaient très bien. »

Framton se demanda si Mrs. Sappleton, la dame à laquelle il venait présenter une des lettres d'introduction, entrait dans la catégorie des gens bien.

« Connaissez-vous beaucoup de gens par ici ? demanda la nièce, quand elle jugea qu'ils étaient suffisamment restés en communion de silence.

— Pas une âme, dit Framton. Ma sœur a vécu ici, au presbytère... vous savez... il y a quatre ans, et elle m'a donné des lettres d'introduction pour quelques résidants. »

Il y avait dans ses derniers mots une nuance de regret.

« Alors, vous ne savez pratiquement rien de ma tante ? continua la jeune personne sûre.

— Seulement son nom et son adresse », admit le visiteur, qui se demandait si Mrs. Sappleton était mariée ou veuve. Quelque chose d'indéfinissable laissait deviner une présence masculine dans la maison.

« Le grand drame est arrivé il y a juste trois ans, dit l'enfant ; après le départ de votre sœur....

— Le drame ? » interrogea Framton.

Un drame dans ce coin de campagne tranquille semblait insolite.

« Peut-être vous demandez-vous pourquoi nous laissons cette fenêtre grande ouverte un après-midi d'octobre, dit la nièce. (Elle indiquait une porte-fenêtre qui ouvrait sur la pelouse.)

— Il fait assez chaud pour cette époque de l'année, dit Framton ; mais cette fenêtre a-t-elle un rapport quelconque avec la tragédie ?

— Par cette fenêtre, il y a trois ans aujourd'hui, mon oncle et ses deux jeunes frères s'en furent à la chasse pour la journée. Ils ne sont jamais revenus. En traversant la lande afin de rejoindre leur poste favori pour la bécasse, tous trois furent engloutis dans un marécage. L'été avait été très humide, vous savez, et par endroits, le sol, qui était sûr les autres années, cédait soudain sous les pas. On n'a jamais retrouvé leurs corps. C'est ce qu'il y a de plus terrible dans cette histoire. *(Ici la voix de l'enfant perdit son ton assuré et devint tremblante d'émotion.)* Ma pauvre tante croit toujours qu'ils vont revenir, eux et le petit épagneul brun qui les accompagnait, et rentrer par cette porte-fenêtre comme ils le faisaient toujours. C'est pourquoi cette fenêtre reste ouverte chaque soir jusqu'à la tombée de la nuit. Pauvre chère tante ! Elle m'a souvent dit comment ils étaient partis, mon oncle avec son imperméable blanc sur le bras, et Ronnie, son plus jeune frère, chantant *Bertie, Bertie, où allez-vous?* comme il avait l'habitude de le faire pour la taquiner, car cette chanson lui portait sur les nerfs. Vous savez... quelquefois... pendant des soirées tranquilles comme celle-ci, je croirais presque qu'ils vont tous entrer par cette fenêtre.... »

Un petit frisson la parcourut. Elle s'arrêta. Framton se sentit soulagé quand la tante entra précipitamment dans la pièce, se confondant en excuses sur son retard.

« Vera vous a-t-elle un peu diverti ? demanda-t-elle.

— Cette jeune personne est très intéressante, répondit Framton.

— J'espère que cette fenêtre ouverte ne vous dérange

pas, dit Mrs. Sappleton vivement ; mon mari et mes frères vont revenir de la chasse d'une minute à l'autre, et ils entrent toujours par ici. Ils sont allés chasser la bécasse dans les marais.... Ils vont encore bien arranger mes pauvres tapis. Ah ! ces hommes ! »

Elle continua à babiller gaiement, parlant de la chasse, de la rareté des oiseaux, du nombre des canards en hiver. Pour Framton, c'était horrible. Il fit un effort désespéré, mais ne réussit qu'à moitié à orienter la conversation vers un sujet plus anodin ; il sentait bien que son hôtesse ne lui accordait qu'une attention distraite, car son regard errait constamment au-dessus de lui, vers la fenêtre ouverte et la pelouse. C'était certes une coïncidence malheureuse qu'il fût venu faire sa visite en cette journée tragique d'anniversaire.

« Les médecins sont tous d'accord pour me recommander un repos complet, éviter toute émotion et même tout exercice physique violent... », confia-t-il.

Les mots sortaient péniblement des lèvres de Framton qui essayait de se persuader que les étrangers tiennent toujours à connaître dans le détail vos petites misères, vos infirmités, leurs causes et leurs remèdes.

« Pour ce qui est du régime alimentaire, continua-t-il, ils ne sont pas tellement d'accord....

— Non ? dit Mrs. Sappleton, plutôt pour éviter de bâiller que pour dire quelque chose. Mais soudain son attention s'éveilla.

— Les voilà enfin ! s'écria-t-elle. Juste à l'heure pour le thé, et avec de la boue jusqu'aux yeux ! »

Framton tressaillit et se tourna vers la nièce avec un regard de sympathie compréhensive. L'enfant fixait la fenêtre ouverte de ses yeux horrifiés. Glacé par la peur, Framton regarda dans la même direction.

Se détachant dans l'ombre naissante, trois silhouettes traversaient la pelouse, se dirigeant vers la porte-fenêtre. Les trois hommes portaient tous des fusils sous le bras ; l'un d'eux avait jeté un imperméable blanc sur ses épaules. Un épagneul brun les suivait, harassé. Tandis qu'ils approchaient de la maison, une jeune voix rauque chanta dans la pénombre : *Bertie, Bertie... où allez-vous ?*

Framton empoigna sa canne et son chapeau ; la porte d'entrée, l'allée de gravier, la grille — il les engloutit plus qu'il ne les franchit dans sa fuite précipitée. Sur la route, un cycliste dut se garer à l'abri d'une haie pour éviter une collision.

« Nous voilà, ma chère ! dit le porteur du waterproof blanc, entrant par la fenêtre ; assez crottés... mais presque tout est sec.... Qui est-ce donc qui décampait pendant que nous arrivions ?

— Un homme très étrange, un Mr. Nuttel, dit Mrs. Sappleton ; il n'a fait que parler de ses malaises, et il s'est enfui sans un mot d'adieu ou d'excuses quand vous êtes arrivés. On aurait juré qu'il avait vu un fantôme....

— Ce doit être l'épagneul, dit la nièce calmement ; il m'a dit qu'il avait horreur des chiens. Un jour il a été poursuivi dans un cimetière, quelque part sur les bords du Gange, par une horde de chiens parias, et il a dû passer la nuit dans une tombe fraîchement creusée tandis qu'au-dessus de lui les molosses écumaient de rage et le menaçaient de leurs crocs ! C'est assez pour affoler n'importe qui, non ?... »

Fabriquer des romans dans le plus bref délai était la spécialité de cette jeune personne.

LA CHAMBRE DE DÉBARRAS

A TITRE de récompense, les enfants iraient à la plage
de Jagborough. Sauf Nicholas. Il était puni. Ce
matin-là, il avait repoussé son fortifiant bol de
lait où trempait non seulement le pain habituel, mais
— d'après lui — une grenouille. Quoique des personnes
plus âgées, plus raisonnables et plus sages que lui, eussent
affirmé que la chose était impossible et qu'il ne devait
pas dire des bêtises, il maintint son assertion, décrivant
même dans le détail la couleur et les signes particuliers
de la prétendue grenouille. Le plus dramatique, c'est qu'il
y avait réellement une grenouille dans le bol de Nicholas ; il l'y avait mise lui-même, il se sentait donc le droit
d'en parler. Le fait, monstrueux, d'attraper une grenouille dans le jardin et de la plonger dans un bol de
lait fut commenté à l'infini ; mais, pour Nicholas, ce
qu'il y avait de plus clair, c'est que les personnes plus
âgées, plus raisonnables et plus sages que lui, avaient
émis, avec la plus grande assurance, des affirmations
complètement fausses.

« Tu disais qu'il ne pouvait pas y avoir de grenouille

dans mon lait; il y *avait* une grenouille dans mon lait ! »
répétait-il avec insistance, s'accrochant au terrain
favorable.

Voilà pourquoi son cousin, sa cousine et son inintéres-
sant jeune frère iraient à la plage de Jagborough l'après-
midi, et lui pas. La tante de ses cousins, qui tenait à être
considérée comme sa propre tante, avait rapidement
improvisé la promenade de Jagborough pour faire
apprécier à Nicholas le plaisir dont il s'était privé par sa
mauvaise conduite. C'était son habitude : quand l'un
des enfants tombait en disgrâce, elle trouvait aussitôt
une distraction dont le coupable était écarté ; si les
enfants se rebellaient collectivement, on leur apprenait
soudain la présence, dans le voisinage, d'un cirque merveilleux, avec un nombre fantastique d'éléphants, qu'ils
auraient pu admirer le jour même, s'ils avaient été sages.

On aurait estimé décentes quelques larmes de la part
de Nicholas au moment du départ. Mais elles furent
versées par sa cousine, qui s'écorcha douloureusement
le genou en heurtant le marchepied de la voiture. Du
coup, le départ ne fut pas aussi joyeux que prévu.

« Ce qu'elle pouvait hurler ! dit gaiement Nicholas,
comme la voiture s'éloignait.

— Tout ira mieux dans un instant, fit la soi-disant
tante ; ils passeront un très bon après-midi à faire des
courses sur le sable. Ils vont bien s'amuser !

— Bobby ne s'amusera pas beaucoup, et ne courra
pas beaucoup non plus : ses souliers lui font mal. Ils
sont trop petits.

— Pourquoi ne me l'a-t-il pas dit ?

— Il te l'a dit deux fois, mais tu n'écoutais pas.
Souvent tu n'écoutes pas quand nous disons des choses
importantes.

— Ne va pas près du groseillier ! dit la tante, chan-
geant de sujet.

— Pourquoi ?

— Parce que tu es puni. »

Nicholas n'admit pas la limpidité de ce raisonnement ; il se sentait parfaitement capable d'être puni et d'aller voir le groseillier. Il prit son air le plus entêté. Pour sa tante, il était clair qu'il avait décidé d'aller vers le groseillier, « uniquement », se dit-elle, « parce que je le lui ai défendu ».

Deux portes donnaient accès au jardin potager où se trouvait le groseillier ; une fois passé l'une d'elles, une petite personne comme Nicholas pouvait facilement disparaître à la vue des témoins parmi les artichauts, les framboisiers et autres camouflages naturels. La tante avait beaucoup d'autres choses à faire cet après-midi-là ; mais elle consacra une ou deux heures à des opérations de jardinage superflues afin de surveiller les portes qui conduisaient au paradis défendu. C'était une femme aux idées rares, mais douée d'un immense pouvoir de concentration.

Nicholas fit une ou deux incursions dans le jardin d'agrément, se faufilant avec autant d'ostentation que possible vers l'une ou l'autre des portes, sans qu'un instant l'œil attentif de la tante le quittât. Il n'avait pas, en vérité, l'intention d'essayer de pénétrer dans le jardin potager, mais il était bon que la tante le crût ; cette supposition la retiendrait à son poste de surveillance pendant la plus grande partie de l'après-midi. Ayant confirmé, puis fortifié ses soupçons, Nicholas revint dans la maison et mit rapidement à exécution le plan qui germait dans son esprit depuis quelque temps. En montant sur une chaise, dans la bibliothèque, on atteignait une étagère sur laquelle reposait une clef impressionnante. La clef était aussi importante qu'elle en avait l'air ; elle protégeait le mystère de la chambre de débarras des intrusions non autorisées, n'ouvrant qu'aux tantes et autres personnes privilégiées. Nicholas n'était guère expert dans l'art de faire jouer les clefs dans les serrures, mais depuis peu il s'était entraîné avec d'autres clefs ; il ne fallait rien laisser au hasard. La clef tourna péniblement dans la serrure, mais elle tourna. La porte s'ouvrit, et Nicholas pénétra dans ce domaine interdit auprès duquel le groseillier lui apparaissait comme un plaisir fade et purement matériel.

Combien de fois Nicholas n'avait-il pas imaginé cette mystérieuse chambre de débarras interdite aux jeunes regards et au sujet de laquelle toute question restait sans réponse ! Elle ne le déçut point. Vaste et sombre, avec, pour seule source de lumière, une étroite fenêtre donnant sur le jardin défendu, elle abritait des trésors inconcevables. La pseudo-tante appartenait à ce genre de personnes qui, persuadées que les choses s'abîment à l'usage, demandent à la poussière et à l'humidité de les protéger. Les aîtres de la maison les plus familiers à Nicholas étaient plutôt nus et tristes ; ici, il y avait des choses merveilleuses qui réjouissaient son œil. Au premier plan, une tapisserie apparemment destinée à servir d'écran à une cheminée. Assis sur un rouleau de draperies indiennes dont les couleurs éclatantes perçaient sous la poussière, Nicholas contemplait la scène de la tapisserie aussi palpitante que du cinémascope : un chasseur d'une époque révolue venait de transpercer un cerf de sa flèche ; il n'avait pas dû avoir beaucoup de mal, car le cerf n'était qu'à un pas ou deux de lui. L'homme s'était aisément frayé passage à travers l'épaisse végétation ; devant lui le cerf insouciant était en train de brouter ; les deux chiens tachetés qui s'élançaient avaient été de toute évidence dressés à ne pas quitter les talons du chasseur avant que la flèche eût atteint son but. Tout cela était clair et simple, mais le Nemrod voyait-il ce que Nicholas venait d'apercevoir :

quatre loups fonçant vers lui à travers bois ? Peut-être y
en avait-il davantage, cachés par les arbres.... De toute
façon, l'homme et ses chiens pourraient-ils faire face
aux quatre loups s'ils attaquaient ? Il ne restait que
deux flèches dans le carquois du chasseur, et il risquait
de manquer son but avec l'une ou l'autre ; tout ce qu'on
savait de son adresse de tireur, c'est qu'elle pouvait lui
permettre d'atteindre un cerf de grande taille à une
distance ridiculement courte.

Pendant de longues et savoureuses minutes, Nicholas
resta assis, étudiant les diverses possibilités qu'offrait
la situation ; il était enclin à croire qu'il y avait plus
de quatre loups et que l'homme et ses chiens se trouvaient dans une passe dangereuse.

Mais d'autres objets intéressants exigeaient son attention immédiate ; d'étranges chandeliers en forme de ser-
pents, un canard de porcelaine devenu théière et dont le
bec devait laisser couler le breuvage. Comme elle était
terne et insipide, la théière de tous les jours ! Il y avait
aussi une boîte en bois de santal sculpté, emplie de coton
parfumé ; entre les petites nappes de coton dormaient
des figurines de cuivre : bisons, paons, lutins, charmants
à regarder et à toucher. Quoique moins fascinante, une
autre boîte carrée l'attira ; il en souleva le couvercle
noir et découvrit une collection d'estampes en couleurs
représentant des oiseaux. Et quels oiseaux ! Quand
Nicholas se promenait, il rencontrait bien quelques
oiseaux, mais les plus grands étaient la pie ou le pigeon
des bois ; ici il y avait des hérons, des outardes, des
milans, des toucans, des butors-tigres, des dindes sau-
vages, des ibis, des faisans dorés, toute une galerie de
créatures insoupçonnées. Il admirait la coloration du
canard mandarin et lui assignait une biographie, quand
la voix de sa tante lui parvint du jardin ; elle criait
son nom à en perdre haleine. Trouvant sa longue absence

suspecte, elle en était arrivée à conclure que Nicholas avait sauté le mur à l'abri des lilas ; elle le recherchait donc parmi les artichauts et les framboisiers.

« Nicholas ! Nicholas ! criait-elle, sors de là immédiatement ! Cela ne sert à rien de te cacher : je te vois ! »

C'était sans doute la première fois depuis vingt ans que quelqu'un souriait dans la chambre de débarras.

Les appels excédés à Nicholas cessèrent soudain. Un cri avait résonné, suivi d'un appel de détresse. Nicholas rangea soigneusement les gravures et secoua sur la boîte la poussière d'une pile de journaux voisins. Il sortit à pas feutrés de la pièce, ferma la porte à clef et remit celle-ci là où il l'avait trouvée. Les appels de sa tante retentirent de nouveau lorsqu'il fut dans le jardin.

« Qui appelle ? demanda-t-il.

— C'est moi ! lui répondit une voix de l'autre côté du mur ; tu ne m'entendais pas ? Je te cherchais dans le groseillier et j'ai glissé dans le réservoir d'eau. Heureusement il est vide, mais les bords sont glissants, et je ne peux pas sortir. Va chercher la petite échelle sous le cerisier.

— On m'a défendu d'aller près du groseillier, répondit aussitôt Nicholas.

— Je te l'ai défendu et maintenant je te le permets ! dit la voix impatiente.

— Votre voix ne ressemble pas à celle de ma tante, objecta Nicholas ; peut-être êtes-vous le démon de la tentation qui m'incite à désobéir ? Ma tante me dit souvent que le démon me tente et que je succombe toujours. Cette fois-ci, je ne succomberai pas !

— Ne dis pas de bêtises et va chercher l'échelle !

— Est-ce qu'il y aura de la confiture de fraises pour le thé ? questionna-t-il, innocent.

— Mais bien sûr ! s'écria la tante, quoiqu'elle eût

décidé, en son for intérieur, que Nicholas n'en aurait pas.

— Maintenant, je sais que vous êtes le diable, et pas ma tante ! hurla gaiement Nicholas ; quand j'ai demandé de la confiture de fraises, hier, elle m'a dit qu'il n'y en avait pas. Je sais qu'il y en a quatre pots dans l'armoire à provisions parce que j'ai regardé, mais *elle* ne le sait pas, puisqu'elle a dit qu'il n'y en avait pas. Diable, tu t'es trahi ! »

Le fait de pouvoir parler à une tante comme si l'on parlait au diable donnait à Nicholas une euphorique sensation de luxe, mais dans son discernement d'enfant il sentait que l'on ne doit pas abuser de tels luxes. Il s'éloigna sans bruit. Ce fut la fille de cuisine qui, en quête de persil, aida finalement la tante à s'extraire du réservoir.

Un lourd silence pesa ce soir-là sur le thé. Les enfants étaient arrivés à Jagborough à marée haute : ils n'avaient eu aucun sable pour jouer — circonstance que la tante n'avait pas prévue dans sa hâte d'organiser l'expédition punitive. Les souliers trop étroits de Bobby avaient exercé un désastreux effet sur son humeur pendant l'après-midi entier. Dans l'ensemble, on ne pouvait pas dire que la sortie avait été réussie. Glacée, muette, la tante avait tout à fait l'air de quelqu'un qui a souffert une détention aussi vexante qu'imméritée dans un réservoir d'eau de pluie pendant trente-cinq minutes. Quant à Nicholas, il gardait, lui aussi, le silence, absorbé par de nombreuses pensées : il n'était pas impossible, après tout, que le chasseur en réchappât avec ses chiens, pendant que les loups feraient leur festin du cerf abattu.

LA CARNASSIÈRE

« L E MAJOR viendra pour le thé, annonça Mrs. Hoopington à sa nièce. Il est allé faire le tour des écuries avec son cheval. Montre-toi aussi gaie que possible ; le pauvre homme est sombre.... »

Le major Pallaby était victime des circonstances, sur lesquelles il n'avait aucun contrôle, et de son humeur, qu'il contrôlait mal. Il avait pris en charge la meute de Pexdale, poste où l'avait précédé un homme très populaire. Le major devait donc faire face à l'hostilité ouverte d'une bonne moitié des adhérents ; son manque de tact et d'aménité avait été suffisant pour lui aliéner l'autre. C'est pourquoi le nombre des cotisations allait diminuant avec celui des renards, inexplicablement rares, tandis que l'on voyait surgir à travers la campagne des barrières de plus en plus nombreuses. La sombre humeur du major était, somme toute, excusable.

En prenant le parti du major Pallaby, Mrs. Hoopington avait songé que, de toute façon, elle était décidée à l'épouser sous peu. Comme contrepartie à son mauvais caractère notoire, il y avait ses trois mille livres par an, et ses droits de succession très appréciables puisqu'ils lui conféraient le titre de baron. Les projets matrimoniaux du major n'étaient pas aussi mûrs que ceux de Mrs. Hoopington, mais il commençait à prendre le chemin de Hoopington Hall avec une fréquence qui suscitait déjà les commentaires.

« Il a eu une lamentable journée hier encore, dit Mrs. Hoopington. Pourquoi n'avez-vous pas emmené avec vous un ou deux chasseurs, au lieu de ce Russe stupide, je ne comprends pas....

— Vladimir n'est pas stupide, protesta la nièce, c'est un des garçons les plus amusants que je connaisse ! Si tu veux bien le comparer à l'un de tes chasseurs assommants....

— De toute façon, ma chère Norah, il ne sait pas monter à cheval.

— Les Russes ne sauront jamais ; mais c'est un bon fusil.

— Oui ? Et que tire-t-il ? Hier il a rapporté un pivert dans sa carnassière !

— Peut-être, mais il y avait aussi trois faisans et des lapins.

— Cela n'excuse pas le pivert.

— Les étrangers ont moins peur de la variété que nous. Un grand-duc chasse le vautour aussi sérieusement que nous guettons l'outarde. D'ailleurs, j'ai expliqué à Vladimir que certains oiseaux sont au-dessous de sa dignité de sportif. Comme il n'a que dix-neuf ans, sa dignité est toujours bonne à invoquer. »

Mrs. Hoopington soupira. La plupart des gens que Vladimir rencontrait trouvaient sa gaieté contagieuse, mais elle était immunisée contre cette contagion.

« Je l'entends arriver, observa-t-elle. Je vais aller me préparer pour le thé. Nous le prendrons dans le hall.

Distraie le major s'il arrive avant que je descende, et surtout sois gaie ! »

Norah devait s'en remettre aux bonnes grâces de sa tante pour beaucoup de petites choses qui rendent la vie agréable ; elle était déçue de constater que le jeune Russe, sur qui elle avait compté pour rompre la routine de la maison de campagne, ne faisait pas bonne impression. Ce jeune homme — tout à fait inconscient de son insuffisance — surgit à cet instant dans le hall. Il était fatigué et mis avec moins de recherche qu'à l'accoutumée, mais visiblement radieux. Sa carnassière paraissait pleine à souhait.

« Devinez ce que j'ai tiré... demanda-t-il.

— Des faisans, des pigeons ramiers, des lapins, hasarda Norah.

— Non.... Une grosse bête.... Je ne sais pas comment vous l'appelez en Angleterre. Brune, avec une queue sombre. »

Norah changea de couleur.

« Est-ce qu'elle loge dans les arbres et mange des noisettes ? » questionna-t-elle, avec le secret espoir que l'adjectif « grosse » était exagéré.

Vladimir rit.

« Oh, non ! pas un *biyelka* !

— Est-ce qu'elle nage et se nourrit de poisson ? insista Norah, priant Dieu que ce fût une loutre.

— Non, dit Vladimir, occupé par les courroies de son sac, elle habite les bois et mange lapins et poulets. »

Norah s'assit brusquement et cacha son visage dans ses mains :

« Mon Dieu ! gémit-elle, il a tué un renard [1] ! »

---

1. Pour tirer un renard en Angleterre, il faut être rustre, ou sauvage. Un dicton l'enseigne : « *Many things are not to be done. To shoot a fox is one.* » (Il y a beaucoup de choses qui ne se font pas. Tirer un renard en est une.)

Vladimir la regarda, consterné. Dans un torrent de paroles précipitées, elle essaya d'expliquer l'horreur de la situation. Le garçon ne comprit rien, mais fut passablement inquiet.

« Cachez-le, cachez-le ! dit Norah affolée en montrant le sac encore fermé. Ma tante et le major vont être ici dans un instant. Jetez-le en haut de cette armoire ! Ils ne le verront pas ! »

Vladimir balança le sac assez adroitement ; mais la courroie fut arrêtée dans son vol par la pointe d'un andouiller fixé au mur, et le sac, avec son terrible fardeau, resta suspendu juste au-dessus de l'alcôve où le thé allait être servi. A ce moment, Mrs. Hoopington et le major entrèrent dans le hall.

« Le major va tracer nos couverts demain, annonça l'hôtesse avec une certaine satisfaction. Smithers est sûr d'avoir vu un renard dans le taillis de noisetiers trois fois cette semaine !

— J'espère que c'est vrai.... J'espère, dit le major, tristement. Je dois mettre un terme à cette série noire. On entend dire si souvent qu'un renard s'est installé à demeure dans certains couverts !... Quand vous allez le débusquer, il n'y a rien. Je suis certain qu'un renard a été tué ou pris au piège dans les bois de Lady Widden le jour même où nous tracions les couverts !

— Major, si quelqu'un agissait ainsi dans mes bois, il n'aurait plus qu'à s'en remettre à la miséricorde divine ! »

Norah prit place à table comme une automate. Pour occuper ses doigts fébriles, elle réarrangea le plat de sandwiches. A sa droite, le major morose ; en face, sa tante qui semblait lui renouveler par gestes son message « Sois gaie ! ».... Et suspendue au-dessus de tous, *la chose*. Norah n'osait pas quitter la table des yeux ; elle ne songeait guère qu'à empêcher ses dents de claquer, attendant d'une seconde à l'autre la chute de la goutte de sang accusatrice qui souillerait la nappe blanche.

« Qu'est-ce que vous avez tiré, aujourd'hui ? demanda à brûle-pourpoint Mrs. Hoopington à Vladimir, étrangement silencieux.

— Rien... rien qui vaille la peine d'en parler. »

Le cœur de Norah, qui s'était arrêté de battre un instant, rattrapa le temps perdu par des battements fous.

« J'aimerais bien que vous trouviez quelque chose qui vaille la peine de parler, dit l'hôtesse. Tout le monde semble avoir perdu sa langue !

— Quand Smithers a-t-il vu ce renard pour la dernière fois ? demanda le major.

— Hier matin.... Un beau renard à chiens, avec un panache foncé.

— Aha ! On fera un fameux galop derrière ce panache, demain ! » rugit le major dans un accès soudain de bonne humeur.

Le lourd silence s'abattit de nouveau autour du thé, rompu seulement par des mâchonnements discrets ou le cliquetis d'une cuiller dans sa soucoupe. Le fox-terrier de Mrs. Hoopington fit diversion : pour avoir une meilleure vue d'ensemble de la table alléchante, il avait sauté sur une chaise libre. Mais très vite, le nez en l'air, il sembla renifler quelque chose de plus attirant que le cake.

« Qu'est-ce qui peut donc l'exciter ainsi ? demanda sa maîtresse en l'entendant pousser des aboiements brefs et hargneux, accompagnés de gémissements frémissants.

— Mais c'est votre gibecière, Vladimir ! continuat-elle. Qu'est-ce qu'il y a donc dedans ?

— Hum ! grogna le major en se levant ; elle dégage un de ces fumets ! »

9

Fulgurante, une idée traversa simultanément l'esprit du major et celui de Mrs. Hoopington. Leurs visages se colorèrent de tons pourpres distincts, mais harmonieux, et d'une seule voix ils crièrent :

« Vous avez tué le renard ! »

Norah s'empressa d'atténuer à leurs yeux le méfait de Vladimir. Il est probable qu'ils ne l'entendirent pas. Le major laissa échapper sa fureur avec une frénésie quasi féminine, mais, tout en maudissant les circonstances en général et en s'apitoyant sur son sort en particulier, il conserva, comme il le devait, l'œil sec. Tandis qu'il vouait tous ceux avec lesquels il était entré en contact sur cette terre à des peines non seulement anormales, mais sans fin, ses vociférations étaient accompagnées sur deux tons par le monologue plaintif de Mrs. Hoopington et le *staccato* aigu du fox-terrier. Vladimir, qui ne comprenait pas un dixième de ce qui se disait, était resté assis, caressant une cigarette et répétant de temps en temps un vigoureux adjectif anglais qu'il avait introduit avec amour dans son vocabulaire. Il se souvenait d'un vieux conte russe où il est question d'un oiseau enchanté qui trouve une mort dramatique. Arpentant le hall comme un ours en cage, le major avait découvert le téléphone sur lequel il s'acharnait. Sans perdre une minute, il appela le secrétaire de la société de chasse pour lui annoncer sa démission. Dans l'intervalle, un domestique avait amené son cheval à la porte. En quelques secondes, la plainte de Mrs. Hoopington eut le champ libre. Mais après la fougueuse démonstration du major, l'effet était nul. On eût dit un nocturne de Chopin après un orage de Wagner. Sans doute Mrs. Hoopington elle-même prit-elle conscience du contraste : elle fondit tout à coup en larmes, ce qui était nécessaire, et sortit, abandonnant la place à un silence presque aussi dense que le tumulte qui l'avait précédé.

« Qu'est-ce que je vais faire de ça ? demanda Vladimir.

— Enterrez-le.

— Un simple enterrement ordinaire ? demanda Vladimir, soulagé. (Il aurait appris sans surprise que le clergé local insistait pour être présent ou qu'une salve devait être tirée au-dessus de la tombe.)

C'est ainsi qu'au soir d'une journée de novembre, sous les lilas de Hoopington Hall, un jeune Russe, murmurant quelques prières de son culte pour conjurer le sort, enterra hâtivement — mais décemment — un gros putois.

JENÖ HELTAI

> *Jenö Heltai est un peu le Tristan*
> *Bernard de la littérature hongroise.*
> *Ses dons d'auteur dramatique et sa*
> *profonde connaissance de notre langue*
> *lui permirent d'adapter une centaine*
> *de pièces françaises. Il a décrit le*
> *monde de la bohème et des hors-la-loi*
> *avec une souriante philosophie. Il est*
> *mort en 1957.*

ÉCOLE BERLITZ

« Ma chère Illonka,

Eh bien, oui, c'est vrai !... Je ne saurais ajouter
« heureusement » ou « malheureusement », mais le fait
est là : nous divorçons. Tu n'y aurais jamais pensé,
n'est-ce pas ? Moi non plus. Tout est la faute de
l'anglais et de l'école Berlitz. La chose peut te sem-
bler bizarre, mais il te suffira de lire ma lettre pour
comprendre.

Les événements remontent à deux ans. Un beau jour, mon mari m'annonça qu'il allait apprendre l'anglais. Il ajouta :

« C'est tout de même une honte de ne parler aucune langue étrangère ! Et une grave erreur de n'en avoir jamais appris. Heureusement, il n'est pas trop tard. On dit que l'anglais est une langue facile. Je vais apprendre l'anglais !

— Ce n'est pas la première fois que tu le dis, Kalman, mais jamais tu n'as pris la chose au sérieux. Tu n'as ni la patience ni la persévérance nécessaires. »

Kalman se mit à rire.

« Je sais. C'est précisément pour cette raison que je me suis inscrit à l'école Berlitz. Là, on ne plaisante pas, on ne peut pas « sécher » les cours, il faut étudier. Trois fois par semaine. D'ici un an, je parlerai l'anglais comme Churchill ! »

Le lendemain, Kalman revint à la maison avec un manuel d'anglais. Trois fois par semaine, de 6 à 8, il allait étudier l'anglais à l'école Berlitz. Comme je ne connais pas cette langue, je ne pouvais malheureusement pas contrôler ses progrès. Quoi qu'il en soit, quatre mois plus tard, il réclamait le *Times* au breakfast et s'y plongeait avec délectation.

Pourquoi le nier ? J'étais fière de mon mari. Bientôt il parlerait l'anglais impeccablement. Tu sais, ma chère Illonka, quelle femme simple je suis ; quelqu'un qui en sait plus que moi me domine — même si c'est mon mari.... A ce point qu'il m'est arrivé plus d'une fois de lui demander (à haute voix pour que tout le monde entende) : « As-tu déjà lu le *Times* aujourd'hui, mon chéri ? »

Kalman étudiait avec beaucoup de persévérance ; pour rien au monde il n'aurait manqué un cours. Quand il rentrait, il était toujours si fatigué que j'avais pitié de lui. A diverses reprises, je lui demandai :

« Toutes ces études ne vont-elles pas te fatiguer ?

— Ne t'en fais pas, mon chou ! me répondit-il en riant. J'ai tant de plaisir à apprendre l'anglais que je ne sens pas la fatigue. »

Je suivais ses efforts, rassurée et heureuse. Ses progrès étaient étonnants. Un mois après avoir ouvert le *Times* pour la première fois, il rapporta un roman anglais qu'il me mit sous le nez en disant d'un ton de triomphe :

« Tu vois, voici ce que je lirai maintenant !

— Je t'envie, dis-je avec un soupir. Dire que tu vas lire tant de beaux livres que je ne connaîtrai jamais ! »

Mes regrets étaient si sincères que mon mari en fut touché. Il me dit avec une tendresse teintée de supériorité :

« Chère petite bique sans culture, ne t'en fais pas ! Je lirai le livre et je te le raconterai ensuite, veux-tu ? »

J'applaudis. Moi aussi, j'allais recueillir quelque bénéfice de l'anglais. Ah ! ces longues soirées d'hiver où, après le dîner, j'écoutais religieusement Kalman improviser pour moi, avec une patience admirable, la traduction de longs passages du roman. Les scènes d'amour et de meurtre, il me les donnait *in extenso*. J'éprouvais un plaisir de bon aloi, propre à élever l'âme. Je lui en étais infiniment reconnaissante.

Le premier livre que nous lûmes ensemble était un roman de Dickens intitulé *Le Mystère de la Maison rouge*.... Histoire atroce où l'héroïne trompe constamment son mari jusqu'au jour où celui-ci l'empoisonne. Pour faire disparaître toute trace du crime, le meurtrier traîne le cadavre jusqu'à la voie ferrée où un train va le broyer. Aujourd'hui encore je frissonne lorsque je pense à cette sinistre histoire. Je demandai à mon mari s'il ne pouvait pas me lire des ouvrages un peu plus gais. Il m'apporta les contes humoristiques, et même un peu grivois — d'Edgar Poe. Ces récits nous faisaient beaucoup rire. Je connaissais déjà quelques-uns d'entre eux sous forme d'anecdotes, mais cela n'avait pas d'importance.

Je ne vais pas t'ennuyer en t'énumérant toutes nos lectures. Le fait est que, grâce à mon mari, je me familiarisai, en l'espace d'un et demi, avec certains chefs-d'œuvre de la littérature anglaise contemporaine. Quand maman avait son « jour », je parlais des écrivains anglo-saxons, et tout le monde se taisait. Mes amies me jalousaient. Une fois, pourtant, comme j'évoquais *Le Mystère de la Maison rouge*, un jeune homme me demanda timidement :

« Ne faites-vous pas erreur, chère madame ?

— Comment cela ?

— Je ne pense pas que Dickens ait écrit un roman portant ce titre.

— Vous êtes mal informé », dis-je froidement.

Le jeune homme rougit et se tut. Mon prestige en fut renforcé.

Il y a trois semaines, mon mari rapporta un nouveau roman. Il s'intitulait *Jack Gribson* et avait pour auteur un certain T. H. Forest. J'étais curieuse de connaître cette nouveauté, mais, comme d'habitude, Kalman le lut d'abord seul pour pouvoir le traduire plus aisément ensuite.

Alors.... Imagine ce hasard.... Le lendemain matin, j'ouvre mon magazine et je tombe sur cette annonce : « *Notre nouveau roman.... Nous commençons dans ce numéro la publication de* Jack Gribson, *le nouveau roman de T. H. Forest, le génial auteur anglais. Cette œuvre extraordinaire qui, en quelques mois, a compté 97 éditions en Grande-Bretagne, sera présentée à nos lectrices dans une traduction remarquable* », etc.

Ravie, j'allais signaler à Kalman la publication de la traduction hongroise de *Jack Gribson*, lorsqu'une idée me traversa l'esprit : je ne lui en dirais pas un mot. Je le stupéfierais. Le jour où il commencerait sa traduction, je lui prendrais le livre des mains et je continuerais le récit au point où il l'aurait laissé. Il serait abasourdi et se demanderait comment diable j'aurais pu apprendre l'anglais si rapidement. Enchantée de mon stratagème, j'attendais avec impatience le jour de la première lecture. Je n'eus pas à attendre bien longtemps.

Quand mon mari commença, j'eus toutes les peines du monde à maîtriser mon fou rire. Quelle tête il allait faire quand je continuerais la traduction ! Mais, brusquement, mon rire se figea. Ma stupeur — pas la sienne — était telle que je faillis m'évanouir.

Imagine-toi la situation ! Kalman me racontait tout autre chose que ce que j'avais lu moi-même. Dans mon journal, Jack Gribson était un jeune peintre, plein de talent, épris de Lucie, jeune fille pauvre mais honnête, qu'il ne peut épouser parce que Mr. Gribson père s'y oppose. Dans le récit de mon mari, Jack Gribson était un vieux filou qui voulait faire passer en fraude, à la frontière allemande, des dentelles de Malines valant une fortune, et qui était pris en flagrant délit. Il s'évadait, non sans avoir tué un douanier d'un coup de revolver.

Au moment où le douanier tomba raide mort, je n'en pouvais plus. Je poussai un cri de désespoir. Je devenais folle, sans nul doute. Kalman eut peur.

« Qu'as-tu donc ?

— Oh ! rien.... Je suis un peu nerveuse... tous ces assassinats ! »

Kalman interrompit sa lecture.

Je ne fermai pas les yeux de la nuit.

Que s'était-il passé ? J'échafaudai toutes sortes de suppositions, sauf la plus simple : Kalman ne connaissait pas l'anglais. Celle-là ne me vint même pas à l'esprit. Si elle surgit un instant, je l'écartai aussitôt comme la pire des absurdités. J'étais plutôt portée à croire que le traducteur s'était trompé, ou que je m'étais méprise sur le titre. Le journal publiait peut-être un autre roman de Forest. Étais-je le jouet d'une illusion ?

Le lendemain, dès que Kalman fut parti, je comparai le roman anglais et la traduction du journal. Malheureusement, je ne m'étais pas trompée. Le *Jack Gribson* publié en feuilleton était bien celui du livre. Les noms des personnages étaient les mêmes. Lucie, cette pauvre et honnête fille dont Kalman n'avait pas encore mentionné l'existence, entrait en scène dès la seconde page. Dans le roman, la première phrase du second chapitre se terminait par un point d'interrogation : il en était de même dans le feuilleton. Il fallait me rendre à l'évidence : la traduction du journal était exacte, celle de Kalman ne l'était pas. Alors ? Pourquoi me racontait-il autre chose ? Et avec les autres livres, en avait-il été de même ?

A bout de nerfs, je me précipitai dans une librairie et demandai *Le Mystère de la Maison rouge*. Le jeune homme timide que j'avais remis à sa place avait raison : Dickens n'avait jamais rien écrit de tel. Edgar Poe n'était l'auteur d'aucun conte humoristique, et les seuls contes qu'il eût écrits étaient ses *Histoires extraordinaires*. Bref, je finis par tout savoir :

Kalman me menait en bateau depuis deux ans, présentant les fruits de son imagination fertile comme les œuvres des meilleurs auteurs anglais. Pourquoi donc ? Pourquoi ? Aussi pénible que cela fût, je dus admettre qu'il ne pouvait y avoir à cela qu'une seule raison : il ne savait pas l'anglais.

Sur ma lancée, je me ruai à l'école Berlitz pour demander des renseignements sur mon mari. J'appris que cet élève apparemment si zélé n'avait jamais mis les pieds dans cet honorable établissement. Il y était totalement inconnu. Où passait-il son temps depuis deux ans, trois fois par semaine, de six à huit ?

A cette question, je ne pouvais fournir qu'une seule réponse intelligente, celle qui serait venue à l'esprit de n'importe quelle épouse : chez sa maîtresse.

C'était bien vrai. Je ne m'étendrai pas sur les circonstances. Les preuves se trouvent déjà entre les mains de l'avocat. D'ailleurs, Kalman est passé aux aveux complets. Nous divorçons. Kalman me supplie de lui pardonner. Je n'y arrive pas. Passe encore de m'avoir trompée. Mais m'avoir ridiculisée à jamais avec Dickens, Poe et d'autres grands écrivains, voilà ce que je n'avalerai jamais. Ne donneras-tu pas raison à ta malheureuse

VILMA ? »

FRIGYÈS KARINTHY

Frigyès Karinthy est peut-être le plus original des humoristes hongrois. Il a mérité son surnom de « Socrate de café » en brossant de main de maître de petits tableaux de la vie quotidienne.

HALANDJAH

C'EST au café que m'est arrivée cette aventure.

Un monsieur s'assoit près de moi — jeune homme modeste, d'excellentes manières. Nous engageons la conversation, parlant de choses et d'autres. Un silence, puis, tout à coup, le jeune homme modeste me dit :

« Excusez-moi, est-ce que le garçon est pour vous aussi kissera méra mine ?

— Pardon ? dis-je en me rapprochant de lui. Je ne vous entends pas.... »

Il répète poliment :

« Je vous ai demandé si le garçon est pour vous aussi kissera méra et toujours ? »

Je rougis. Qu'ai-je donc dans l'oreille pour ne pas entendre ce que cet homme me dit ? Il parle d'une façon parfaitement claire.

Après une brève interruption, je réponds :

« Je vous prie de m'excuser, il y a un bruit affreux dans ce café. Je suis confus, mais je ne vous ai pas encore compris. »

Le jeune homme modeste semble troublé. Il me regarde d'un air interrogateur, comme s'il pensait que je le faisais marcher. Puis, un peu gêné, il répète en haussant le ton :

« Je voulais simplement savoir si, dans ce café aussi, le garçon était kissera méra bavatague, pour autant que cela peut se faire, naturellement. »

Que m'arrive-t-il ? Mes oreilles bourdonnent. L'espace d'une seconde, une idée terrible traverse mon esprit : peut-être suis-je devenu fou ? Depuis quelque temps, je percevais des signes troublants.... Pas plus tard qu'hier, en sortant de ce café, j'ai voulu jeter ma cigarette allumée dans le petit bassin des poissons rouges, près du comptoir, puis je me suis ravisé et l'ai lancée à côté. Pointe de sadisme à peine émoussée par une certaine pitié pour les poissons : la cigarette allumée aurait pu les brûler. Effroyable !

Et voilà que maintenant d'étranges associations de syllabes me tintent aux oreilles, dans un brouillamini étrange. Je n'arrive plus à faire le lien entre deux idées. Sans doute en suis-je à cet état d'abrutissement qui vous incite à répéter sans cesse un mot — pâtisserie, par exemple — au point que l'on finit par ne plus savoir de quoi il s'agit... pâtisserie... tapisserie... tipasserie....

Mes tempes battent. Je jette un regard sur mon nouvel ami. Il me dévisage, un peu déçu et étonné que je n'arrive pas à répondre à une question aussi simple. Le silence, entre nous, est pénible. Dans la rue, on entend la sonnerie des tramways. Je frissonne, je pense au cimetière. Les tramways continueront à faire entendre leur timbre quand je reposerai au cimetière, sous trois pieds de terre....

« Que le garçon... ? dis-je avec un ultime espoir, sentant mes forces me quitter.

— S'il peut, dans ce café, me rendre kissera méra bégueva sebèque ? »

Décidément, ça ne peut plus continuer ainsi.

« Certainement ! dis-je d'un ton ferme. Sûrement oui !

— Alors, donnez-les, je vais les porter.

— Quoi ? ? ? »

Il me regarde, ahuri.

« Mais les cinq couronnes, voyons ! »

Son étonnement paraît sans bornes. Je balbutie :

« Ah !... oui... bien sûr ! »

D'une main tremblante, je lui tends cinq couronnes. Puis je prends congé et gagne en titubant l'arrière-salle. Étrange : mes genoux s'entrechoquent. C'est la fin. Si jeune ! Si jeune et déjà fini !

Un ami me prend par le bras :

« De quoi avez-vous parlé, toi et ce type de Halandjah ?

— Avec qui ? Juste Ciel !

— Avec ce type de Halandjah.... Toi aussi, tu es tombé dans le panneau ? »

Il me regarde dans les yeux, comprend tout, se met à rire.

« Je m'en doutais. Eh bien, sache que cet homme a inventé le *halandjah*. Il mêle à ses discours des paroles

inintelligibles et, une fois qu'il vous a rendu complètement fou, il vous tape de cinq couronnes. »

Je me redresse, mes jambes retrouvent leur fermeté.
Je toise ironiquement mon ami.

« Tu n'y penses pas ! Tu ne vas pas croire que j'aie
marché, non ? J'ai tout de suite pigé son truc. Tu ne
me prends pas pour un gogo, non ? »

Frigyès Karinthy

TANTE STANCI, FRED ET LE MARQUIS

Tandis que ce jeune homme marche dans la rue, il pense : « Tout de même, il faut que j'aille rendre visite à tante Stanci, qui a perdu son mari. » Ce matin encore, sa mère le lui a rappelé :

« Fred, tu dois présenter tes condoléances à tante Stanci ; ce n'est pas gentil de la laisser comme ça.... Il y a plus de quinze jours que ton oncle est mort ! »

Fred pense donc à tante Stanci. Il se sent accablé. Il fait les cent pas devant la maison, n'arrive pas à se décider. Son esprit est à la torture : que pourra-t-il bien dire à sa tante ? « Chère douce tante... » tout au plus, puis la regarder avec un air de profonde tristesse et de compassion. Inutile d'en dire plus long, l'air de profonde tristesse parlera. De toute façon, l'oncle est mieux au ciel. Fred fait de gros efforts pour se pénétrer de cette pensée, pour se persuader que l'oncle est vraiment mieux au ciel.

C'est dans cet état d'âme qu'il prend son élan, monte l'escalier, sonne, frappe à la porte. Il entend des pas, pousse un grand soupir, fait tomber ses commissures. Le cœur battant, il se répète à toute vitesse, en se concentrant au maximum : « Pauvre cher oncle ! » Il s'efforce d'évoquer le visage du disparu afin d'accentuer son air compassé. Enfin l'oncle lui apparaît, le nez gonflé et luisant, se jetant avec avidité sur un pet-de-nonne bien gras qu'il coupe en deux d'un coup de dent. Une goutte de graisse tombe du beignet, l'oncle tente de l'intercepter en avançant la lèvre.... Trop tard : elle s'écrase sur son gilet. « Nom d'un chien ! » s'écrie l'oncle, grimaçant. Fred se rappelle qu'il avait éclaté de rire : il avait prévu que la goutte de graisse tomberait, ce qui devait fatalement échapper à l'oncle puisqu'on ne peut pas voir sa propre tête. Ah ! Ah ! Ah !

La porte s'ouvre. Fred, dans un ultime effort, essaie de se représenter l'oncle tout blanc, sur son lit de mort, entouré des siens. C'est diablement difficile.

Fred, *la gorge sèche.* — Comment allez-vous, tante Stanci ?

Tante Stanci, *vêtue de noir ; ses cheveux sont tirés en arrière et dégagent une légère odeur de pommade. Elle parle d'un ton gémissant, comme elle le fait depuis trois semaines pour rester dans la note.* — Alors, tu es venu, Fred ?

Fred chasse vivement l'image de l'oncle aux prises avec le pet-de-nonne. C'est idiot, indécent, mais il n'y a rien à faire. Tout cela lui paraît d'ailleurs parfaitement idiot. Pourquoi tante Stanci lui a-t-elle dit « Tu es venu, Fred ? » comme si elle ne le voyait pas ? Pourquoi ce ton pleurnichard ? Pendant que tante Stanci le fait entrer, une voix résonne aux oreilles de Fred : celle, aiguë et solennelle, d'un homme qui s'incline profondément, se découvre et, d'un geste de marquis, tenant gracieusement son chapeau entre deux doigts, déclare : « Madame et chère tante, je me suis hâté pour être plus vite auprès de vous et vous présenter l'expression de mes condoléances émues. » Le marquis cligne de l'œil à Fred. Celui-ci veut éloigner la vision de l'importun, la remplacer par celle de l'oncle. Mais le marquis revient toujours dans la chambre dont les volets sont tirés, où traîne une odeur de renfermé. Une pendule fait entendre son inexorable tic-tac. Curieux, pense Fred : d'habitude cette pendule ne marche pas, en tout cas je ne l'entendais pas.

TANTE STANCI, *elle s'est installée lentement, l'air douloureux, comme si elle était en verre et craignait de se briser.* — Assieds-toi, je te prie.... Non... pas là.... Là, sur le tabouret.

Fred s'aperçoit que, dans son trouble, il a failli s'asseoir sur un chapeau. Le sang lui monte à la tête. Le marquis le nargue. Ses tempes battent. Le cher oncle.... Pauvre cher oncle, il est donc mort.... Pour lui, cela vaut mieux, se dit Fred qui tente de s'apitoyer en évoquant sa propre mort.

TANTE STANCI, *toujours pleurnichant.* — Tu n'es pas venu depuis.

FRED, *se rendant compte que le moment de parler est venu. Sa voix tremble et sonne faux. Le tremblement n'est pas mauvais, car il ressemble à s'y méprendre à celui de l'émotion. Mais, Seigneur... que va-t-il arriver quand on en connaîtra la cause?* — Je n'ai pas pu venir plus tôt.... J'ai été trop occupé avec mes cours à l'université.... J'ai été saisi par la nouvelle, tante....

LE MARQUIS, *il sautille maintenant devant les yeux de Fred, multipliant les révérences irrespectueuses.* — Certes, tante Stanci, il était occupé... occupé par l'ennemi et saisi par le percepteur.

TANTE STANCI. — Il y a trois semaines au jour d'aujourd'hui que j'ai eu cette peine amère.

Pourquoi dire « *au jour d'aujourd'hui* »? Comment supporter ça plus longtemps ? Et cette « peine amère » !

Fred baisse les yeux. Le marquis narquois danse toujours devant lui.

FRED, *épuisé.* — Chère tante Stanci.... Oh ! si vous saviez ce que j'ai ressenti le jour où.... *(Sa voix s'étrangle.)*

TANTE STANCI. — Le jeudi, encore, il était là.... Là, comme toi ici.... Il était en face de moi et disait : « J'ai à écrire, ma chérie. » Et cette lettre, il l'a écrite.... Écrite et signée.... Et moi je l'ai rangée.... Dans le secrétaire.

Tante Stanci se lève dans un froufroutement de taffetas et tourne le dos à Fred. Fred regarde fixement son dos.

LE MARQUIS, *persiflant.* — Charmant garçon ce secrétaire, bien modeste.

TANTE STANCI, *elle apporte la lettre et la tend à Fred, en pleurnichant.* — Voilà la lettre qu'il a écrite le jeudi.... Juste à cette place où tu es assis.... Et le lendemain.... *(Elle déplie un mouchoir.)*

Fred prend la lettre et se penche sur elle avec piété. Sa tête bourdonne, ses yeux papillotent, son esprit se brouille. L'oncle reparaît avec le pet-de-nonne.

TANTE STANCI. — Il était assis là, tout comme toi.... *(Elle pleure doucement.)*

Une voix aiguë hurle dans la cour :

« Dites donc, espèce de cochon !... »

Fred sent qu'il va chavirer. Tout devient noir. La lettre choit par terre, trempée. Fred bondit, tante Stanci est tombée à la renverse. Il se précipite hors de la chambre, dévale l'escalier, s'engouffre dans la rue, tandis que de sa gorge jaillit un rire énorme, rauque et douloureux.... Tout est fini.... Que viennent la mort et le néant !... Que passent les eaux glauques du Danube !... Qu'on apporte le cercueil où il pourra enfin, dans l'obscurité et le silence, rire tout son soûl.... Ah ! ah ! ah ! Oh ! oh ! oh !...

Frigyès Karinthy

SOCIOLOGIE DU TRAMWAY

[*Psychophysique du choc des couches supérieures avec les masses.
Traité, en deux volumes, des raisons de base des conflits sociaux.*]

PREMIER VOLUME

Docteur X..., *accroché d'une main à la rambarde du
tramway, d'un pied à la pancarte stipulant que vingt-cinq
voyageurs au maximum sont autorisés à prendre place dans
la voiture, la tête en avant tel un boutoir prêt à repousser le
magma de victimes qui jonchent le champ de bataille devant
le marchepied).* — Qu'est-ce que c'est que cette histoire
qu'il n'y a plus de place ! Ce n'est pas la place qui
manque. Il n'y a qu'à se serrer un peu ! C'est honteux de
m'empêcher de monter ! J'ai autant le droit de le faire
que vous qui êtes déjà là-haut ! Je regrette de vous
avoir marché sur la main, monsieur, mais à la guerre
comme à la guerre ! Et s'il n'y a pas moyen de faire
autrement, nous ferons valoir nos droits par la force.
Oui, si la direction tolère qu'un homme puisse monter et
qu'un autre ne puisse le faire, eh bien, nous allons mettre

de l'ordre nous-mêmes ! Vous pensez peut-être que je suis moins pressé que vous ? Que vous êtes monté à la station précédente ? Qu'est-ce que ça peut me fiche ! Vous avez assez voyagé. Taratata ! Descendez ! Vous pouvez toujours causer. Il ne s'agit pas de savoir qui est arrivé le premier, qui s'est installé aux bonnes places — je me demande d'ailleurs à la suite de quelles prévarications et en vertu de quels passe-droits ! Il s'agit bien plutôt de savoir qui aura le talent et la force de s'installer à la place qui lui revient de droit ! Disparaissez. A bas le watman ! A bas les gras ! Vive la révolution ! Qui m'aime me suive !

DEUXIÈME VOLUME

Le docteur X..., *à la station suivante, s'adressant du haut du marchepied à la meute qui cherche à monter.* — Allons, voyons, messieurs... messieurs! Pour l'amour du Ciel, vous ne voyez donc pas qu'il n'y a plus de place ? Le marchepied va s'effondrer, ne vous bousculez pas comme des brutes sans cervelle ! Messieurs !..... Et la dignité de la personne humaine ? Car nous sommes des êtres humains, n'est-ce pas ? Même une bête dépourvue de sens critique n'essaierait pas de monter dans un tram où il n'y a plus une seule place. Messieurs, pour l'amour du Ciel, respectons l'ordre, sans quoi tout s'écroule, tout ce que notre gouvernement a sagement instauré, dans le cadre de la légalité, pour promouvoir la Hongrie de demain et placer l'évolution de notre pays sous le signe de la Constitution ! Un peu de patience, messieurs ! Un peu de patience. Attendez le prochain tram. Une attente patiente, techniquement au point, méthodiquement élaborée, ne manquera pas de porter ses fruits.... Vous connaîtrez ainsi des lendemains fleuris, dans le respect de la légalité, bien sûr. Pensons, messieurs, aux pays civilisés de l'Ouest, au grand exemple de la France ! Au nom de la nation fermement unie derrière sa Constitution, je demande à chacun de se retirer du ventre d'autrui dans le calme et la dignité, et d'attendre le tramway suivant ! Vive monsieur le receveur ! Vive notre watman bien-aimé qui, en ces jours critiques, conduit notre voiture avec une rare compétence ! Vive le gouvernement !

FERENC MOLNAR

Surtout connu en France par sa pièce Liliom, *Ferenc Molnar, auteur dramatique, scénariste, a fait montre dans beaucoup de nouvelles d'une ironie souvent âpre, parfois tendre.*

LA TÊTE ET LA POINTE

LE HÉROS de cette histoire fut un de mes bons amis. J'ai passé plusieurs années de ma jeunesse en sa compagnie. Peintre, sculpteur, architecte, il était tout cela à la fois, avec un immense talent, un tempérament généreux, des éclairs de génie. A l'époque où nous étions le plus intimes, c'était un joueur passionné. Il jouait partout où c'était possible, à Ostende, à Monte-Carlo, à Deauville. La chance souriait souvent à son audace.

il m'arrivait de passer des nuits entières, silencieux, à le regarder, admirant la justesse de ses calculs comme la hardiesse de ses impulsions qui, parfois, se révélaient diaboliquement justifiées. Il était à l'image de tous les joueurs de génie : quand, après les hésitations du premier quart d'heure, il pouvait saisir sa chance, il ne la lâchait plus de la nuit.

Un jour, il vint me trouver pour me demander de l'accompagner à Vienne. Depuis quelque temps déjà, il se plaignait de troubles gastriques.

« En ce moment, j'ai de l'argent, me dit-il. Ces derniers temps, j'ai eu la main particulièrement heureuse. Je vais m'offrir le luxe d'aller consulter le professeur O. »

Dès notre arrivée à Vienne nous nous rendîmes ensemble chez le professeur O. Mon ami me demanda de pénétrer avec lui dans le cabinet de consultation. Le résultat de l'examen ne fut guère encourageant. Le professeur ne trouva rien à l'estomac : en revanche, il insista pour que mon ami se rendît sur-le-champ chez un neurologue. Il indiqua lui-même le nom d'un spécialiste auquel il promit de téléphoner pendant que nous serions en route.

Nous étions des profanes — mais suffisamment au courant de la chose médicale pour nourrir quelque appréhension. Un médecin que l'on consulte pour une maladie d'estomac et qui s'attache aux réflexes du genou ou à la contraction de la pupille ne laisse rien augurer de bon. Nous arrivâmes chez le neurologue, où mon ami, cette fois encore, me pria de pénétrer avec lui dans le cabinet. Le spécialiste lui demanda de se déshabiller complètement et ne lui épargna aucun des rites de la cérémonie traditionnelle. Il le fit marcher les yeux fermés, frapper en l'air, avec précision, le médius de la main droite contre celui de la main gauche, et ainsi de suite. Puis il se livra à une opération que je ne connaissais pas encore. Ayant fait étendre mon ami sur le ventre, le praticien prit une de ces épingles à chapeau dont les femmes usaient à la belle époque et qui, passées de mode, servent à certains neurologues pour sonder la sensibilité dorsale. Le médecin attaque le dos tantôt de la pointe, tantôt de la tête ; le malade doit deviner avec quoi il a été touché. Après avoir fourni quelques explications, le thérapeute commença la séance. Il toucha d'abord de la pointe.

« La pointe, dit mon ami.

— Parfait ! dit le médecin, et il le toucha encore de la pointe.

— Encore la pointe, dit le patient.

— Très bien, dit le médecin. Et maintenant ?

— Encore la pointe.

— Bravo, et maintenant ?

— Toujours la pointe.

— Excellent. »

Le neurologue toucha alors de la tête.

« La tête, dit le patient.

— Et maintenant ?

— La pointe.

— Très bien ! »

L'examen se poursuivit pendant quelques instants. Le médecin piqua mon ami une dizaine de fois et obtint toujours de bonnes réponses. Je poussai un soupir de soulagement. Le malaise que j'avais ressenti en venant se dissipait. Je descendis l'escalier presque de bonne humeur. Une fois dans la rue, je me préparais à lancer une remarque à propos du spécialiste de l'estomac, quand mon ami me dit :

« Tu sais, je suis bien atteint. »

Je le regardai, étonné.

« Mais si, mais si, fit-il, mon cas est sérieux.

— Comment, répliquai-je, l'examen a été excellent !

J'avoue qu'au début je tremblais moi-même. Mais devant la précision de tes réponses....

— Eh bien, trancha mon ami avec un sourire triste, je te jure que pas une fois je n'aurais su dire s'il me touchait avec la pointe ou avec la tête. Lorsqu'il me toucha la première fois, je me dis que, puisqu'il m'examinait avec une épingle, c'était à la pointe qu'il penserait tout d'abord : aussi bien, l'essentiel d'une épingle est la pointe et non pas la tête. Alors le médecin a fait une erreur. Lorsque j'ai répondu : « Pointe », il a dit : « Parfait. » En un éclair, l'idée m'est venue que je me trouvais devant une table de jeu. Deux possibilités : la pointe et la tête, comme à Monte-Carlo le rouge et le noir. Ce jeu-là, je le connais, et depuis quelque temps, je te l'ai dit, je suis dans une bonne passe. Quand il me toucha pour la seconde fois, je jouai encore la pointe et il me dit : « Très bien. » J'éprouvai alors cette excitation euphorique qui s'empare des joueurs lorsqu'ils ont la main heureuse. Deux fois encore, je jouai la pointe et, après avoir gagné pour la quatrième fois, j'eus l'impression que la série était finie.... Ça allait être au tour de la tête. Et j'ai gagné ! Alors j'ai risqué une martingale assez courante : après une série de rouge, c'est le noir, puis de nouveau le rouge. En tout, j'ai gagné huit ou dix mises, exactement comme à la roulette. Ce n'est ni rare ni difficile.... Il m'est déjà arrivé, à Monte-Carlo, de gagner quinze ou vingt fois de suite.... Si, après chaque toucher, le médecin s'était tu, il m'aurait bien embarrassé.... »

Je n'oublierai pas de si tôt le sourire qui accompagnait ses explications, pas plus que l'histoire elle-même.

Quelque temps plus tard, mon ami mourait.

R. K. NARAYAN

> *Rasipuram Krishnaswami Narayan,*
> *qui vit à Mysore, est sans doute à*
> *l'heure actuelle le plus connu des écri-*
> *vains indiens de langue anglaise. Auteur*
> *de nombreux romans et nouvelles, il*
> *apporte dans l'observation de ses com-*
> *patriotes l'humour froid de sa formation*
> *universitaire anglo-saxonne. Ses récits*
> *en prennent d'autant plus de saveur.*

L'ANTIDOTE

LE METTEUR EN SCÈNE travaillait déjà sur le plateau — un bureau meublé d'une grande table et d'un fauteuil tournant. Gopal, vêtu, suivant le *script*, d'un épais manteau et de pantalons de velours côtelé, le visage enduit de fard rouge, s'avança et s'inclina devant le metteur en scène. Celui-ci lui dit :

« Placez-vous à quatre pas du fauteuil, et répétons une ou deux fois pendant qu'on règle l'éclairage.

— Oui, monsieur », répondit Gopal en allant à sa place. Il n'avait aucune idée de ce qu'on allait lui demander. Il n'était pas dans les habitudes du metteur en scène d'exposer le déroulement du scénario à qui que ce fût. Il faisait jouer chaque scène à ses acteurs sans rien leur dire de ce qui précédait ou suivait.

« Faites simplement ce que je vous dis pour l'instant, et ne posez pas de questions inutiles. Une marionnette doit-elle penser ? »

Le super-homme poussa donc gentiment Gopal vers le fauteuil.

« Asseyez-vous et posez votre coude droit sur la table.... C'est ça.... Ayez l'air content : vous venez de réussir une bonne affaire.... »

Il examina avec sévérité la pose de Gopal :

« Quand le téléphone sonnera, prenez l'écouteur de la main gauche. Rappelez-vous qu'il ne faut pas vous jeter sur l'appareil et l'agripper.... Tenez-le légèrement, n'y prêtez même pas attention avant que l'on ait sonné trois fois. Un habitué du téléphone ne se presse jamais pour prendre l'écouteur....

— Oui, monsieur, je comprends, dit Gopal.

— Vous direz alors : « *Ramnarayan à l'appareil. Oh !... Allô... est-ce possible !* » d'un ton très étonné, comme si vous aviez reçu un choc.

— Et après, est-ce que je raccroche ? demanda l'acteur.

— Vous saurez cela plus tard.... C'est tout pour maintenant. Ne précipitez pas votre débit, parlez naturellement. »

La sonnerie du téléphone retentit trois fois. Gopal joua son rôle. On répéta une douzaine de fois devant un micro qui, au bout d'un bras articulé, se balançait de haut en bas comme la proverbiale carotte devant l'âne. Gopal prononçait son texte avec une précision mesurée.

Pourtant, il y avait toujours quelque chose qui clochait. L'assistant de l'opérateur du son passa la tête par la porte de sa cabine et implora plusieurs fois :

« N'avalez pas la dernière syllabe. Gardez le ton. Un autre essai, si cela ne vous fait rien. »

On n'enregistrait jamais une voix quand elle était fraîche. On la préférait rauque, usée par les répétitions.

Gopal recommença jusqu'à ce qu'il perdît la notion de ce qu'il faisait ou disait. Au milieu des « Prêt ! » « Allez-y ! » « Coupez ! » « Un autre essai, s'il vous plaît », la scène fut enfin tournée. Le metteur en scène reconnut à contrecœur : « C'est le mieux qu'on puisse tirer de vous, je crois. » Il ajouta : « Ne changez pas de pose. Nous continuons. » Il fit déplacer les sun-lights, alla étudier le visage de l'acteur dans la camera et dit :

« Ne laissez pas tomber l'appareil, mais détendez un peu le bras droit. Ne soyez pas de bois. Naturel ! »

Il s'éloigna de la camera, se posta devant la table, regarda Gopal d'un œil critique et annonça :

« Oui, maintenant ça va. Uniquement de l'action, pas de dialogue pour cette prise de vue ! »

Le micro mobile disparut. Gopal se sentit mieux. Dieu merci, il n'avait rien à dire. Il pourrait rentrer de bonne heure. Mais le metteur en scène reprit :

« Maintenant, écoutez bien ! Vous vous souvenez que votre dernière réplique était : « *Allô... est-ce possible !* » Vous devez la poursuivre par le geste. Arrêtez-vous un dixième de seconde, laissez échapper le téléphone de votre main, affalez-vous sur votre fauteuil, et laissez rouler votre tête légèrement sur le côté....

« Pourquoi ? Pourquoi, monsieur ? » demanda Gopal, anxieux.

C'était la première fois qu'il mettait en question les desiderata du metteur en scène, qui répondit :

« Ne vous inquiétez pas de cela ! Ne gaspillez pas votre énergie en posant d'inutiles questions !

— Alors... je m'ÉVANOUIS en entendant la mauvaise nouvelle ? demanda Gopal, un vague espoir dans son cœur palpitant.

— Non ! dit le cinéaste avec emphase : elle vous tue. »

Il examina ensuite les détails : comment le téléphone devait tomber, à quel endroit la tête de Gopal devait se poser, la crispation du bras, etc. Il s'approcha de Gopal, frappa doucement son front, repoussa sa tête en arrière et la fit rouler sur le côté.

« Eh bien ! Vous n'avez pas l'air content ? »

Gopal hésita à répondre.

Le metteur en scène observa une pause. Gopal espérait qu'il lirait sa pensée.

« Aimeriez-vous plutôt.... (Gopal attendit la suite avec espoir. Cet homme, après tout, allait s'attendrir...) tomber la face contre la table et les bras en croix ?

— ÉVANOUI ? demanda de nouveau Gopal.

— Non, mort ! Votre cœur vous trahit en entendant la mauvaise nouvelle. »

Gopal porta inconsciemment la main vers son cœur. Il battait toujours. Impitoyable, le metteur en scène restait debout devant lui, attendant une réponse. « Ce type ressemble à Yama [1], pensa Gopal. Il m'étranglera si je ne meurs pas à son commandement. Quel malheur ! »

« Ne peut-on pas changer l'histoire, monsieur ? » demanda Gopal, pathétique, aveuglé par un projecteur qui lui brûlait le visage.

Au-delà, dans une zone d'ombre, un groupe d'hommes le regardait, des dirigeants, des techniciens, des régleurs

---

1. Dieu de la Mort.

d'éclairage. Le metteur en scène parut ébahi par sa
suggestion.

« Qu'est-ce que cela signifie ? Faites ce qu'on vous
dit !

— Oui, monsieur. Mais ce que je n'aime pas....

— Pour qui vous prenez-vous pour dire ce que vous
aimez ou ce que vous n'aimez pas ? » demanda le cinéaste
sèchement.

Cet homme était aussi implacable que le destin. Des
planètes hostiles peuvent s'apitoyer à l'occasion, mais
cet homme, avec son foulard autour du cou, était iné-
branlable. Il aurait étouffé un bébé pour un effet.

« Qu'est-ce qu'il y a, Gopal ? Pourquoi dites-vous des
choses aussi absurdes aujourd'hui ?

— C'est mon anniversaire, monsieur, expliqua timidement Gopal. C'est mon quarante-neuvième anniversaire,
les astrologues m'ont souvent dit que je ne verrais peut-
être pas ce jour, mais que, si je vivais jusque-là, je
n'aurais plus rien à craindre.... Toute ma vie, j'ai vécu
dans la terreur secrète de cette journée. J'ai toujours été
tourmenté, en contemplant ma femme et mes enfants, à
l'idée que je mourrais probablement avant eux. Si je
suis arrivé tard aujourd'hui, c'est que nous avons observé
à la maison quelques rites propitiatoires pour les planètes, et aussi parce que nous avons célébré ma survi-
vance à ce jour. Mon astrologue m'a recommandé de ne
rien faire de déplaisant aujourd'hui, monsieur, vous
comprenez : je voudrais que ce soit une journée favorable, monsieur ! »

Le metteur en scène parut impressionné. Il se tourna
vers son assistant qui le suivait comme une ombre, un
dossier sous le bras, et lui ordonna d'aller chercher le
scénariste. Celui-ci arriva bientôt, les lèvres rougies par
les feuilles de bétel qu'il avait mâchées. C'était un scénariste à succès qui gagnait beaucoup d'argent en dénouant

sur-le-champ les situations dont le cinéma avait besoin. Il éclata de rire quand on lui eut exposé le problème soulevé par l'acteur.

« Impossible de changer l'histoire, déclara-t-il. Comment peut-il refuser de mourir ? J'ai autre chose à faire ! »

Comme il s'en allait, il ajouta :

« De toute façon, appelez le patron et dites-lui ce qu'il en est. »

Le producteur arriva en courant sur la scène et demanda avec inquiétude :

« Qu'est-ce qui ne va pas ? Qu'est-ce qu'il y a ?... »

Gopal restait immobile sur sa chaise. Il n'avait pas le droit de changer de position, même un peu ; la continuité eût été gâchée. Il étouffait. Les projecteurs lui brûlaient le visage. Tout le monde se tenait autour de lui et le regardait comme un capricieux. Dans l'ombre, les visages étaient flous. « Ils sont tous des Yamas, pensa Gopal. Ils sont décidés à me voir mort. »

Le patron se pencha au-dessus du bureau et demanda à Gopal s'il n'était pas devenu fou. Gopal, ayant une idée, pensa qu'il pourrait fléchir le cœur de cet homme en évoquant des questions financières.

« Généralement, monsieur, les gens aiment voir à l'écran des choses gaies.... J'ai vu le public se détourner de films où il y avait des scènes de mort.

— Oh ! s'exclama le producteur, qui resta pensif un instant. Vous vous trompez ! » Puis, se tournant vers le metteur en scène : « Autrefois, sans doute, le public aimait uniquement voir des choses gaies. Aujourd'hui, c'est différent. J'ai des statistiques. Dans les six derniers mois, les films tragiques ont rapporté trente pour cent de plus que les histoires gaies. Ça prouve que le public aime être ému. Non, je ne laisserai démolir cette histoire sous aucun prétexte ! »

Le metteur en scène se fit affectueux. Il donna une tape amicale à Gopal :

« C'est une scène courte, cela ne prendra pas long-temps. Aidez-nous en coopérant.... »

Coopérer en mourant, c'était beaucoup. Gopal sentit qu'il était sur le point de perdre son travail. Il vit sa famille à la rue. Il gâchait les heures précieuses du tour-nage. Une foule de curieux s'était assemblée pour assister à l'événement du jour.

« Êtes-vous prêt au moins à jouer cette scène demain ?

— Sans hésiter, monsieur, dit Gopal avec soulage-ment. Demain, je ferai tout ce que vous me deman-derez. »

A ces mots, l'assistant, qui portait un dossier sous le bras, bondit :

« Nous devons terminer cette scène aujourd'hui ! Demain, nous n'aurons plus le plateau. L'autre équipe en a besoin pour la scène du palais. Ils attendent que vous ayez terminé cette scène pour monter leur décor. Ils grognent déjà parce que vous avez perdu trop de temps. Vous les mettez en retard ! »

« Ce petit homme chétif tient ma vie entre ses mains, pensa Gopal. Il ne veut même pas entendre parler d'un sursis à mon exécution ! »

Le metteur en scène se retira un moment dans la zone d'ombre où les techniciens étaient assemblés et leur parla à voix basse. Puis il s'avança vers Gopal avec l'air de quelqu'un qui a pesé le pour et le contre et pris une déci-sion. Gopal le vit coiffé du bonnet noir de la mort, la hache à la main. Il savait qu'il était un homme condamné. Le jury avait prononcé son verdict. Avant même que le metteur en scène eût ouvert la bouche, Gopal dit :

« C'est bien, monsieur, je mourrai donc. »

Les sunlights s'allumèrent ; on régla la camera. Le

metteur en scène hurla : « Action ! » Gopal laissa échapper l'écouteur. Sa tête retomba en arrière et roula légèrement sur le côté. Les assistants contemplaient sa mort avec satisfaction. Mais avant que l'exécuteur eût crié « Coupez », Gopal rassembla ses forces pour un geste suprême qui, espérait-il, passerait inaperçu. Bien qu'il fût supposé mort, il secoua faiblement la tête, ouvrit l'œil droit et fit un clin d'œil à la camera. Contre le rôle néfaste qu'on lui faisait jouer, il avait trouvé l'antidote.

R. K. Narayan

DANS LE SILLAGE DU GILET VERT

LE GILET VERT sautait aux yeux sous l'éclatant
soleil et le ciel bleu. Au milieu de la cohue, il
était impossible de ne pas le remarquer. Villa-
geois en chemises et turbans, citadins en manteaux et
chapeaux, mendiants nus, femmes aux saris bariolés se
bousculaient dans l'étroit chenal entre les étalages,
masses confuses sans cesse mouvantes, et pourtant on
ne pouvait pas ne pas voir le Gilet Vert. Les bavardages,
les babillages emplissaient de leurs échos la place du
marché, les gens haranguaient, discutaient les prix,
marchandaient, se saluaient, la voix éclatante d'un
prédicateur de la Bible couvrait parfois les autres ;
quand il s'arrêtait pour reprendre haleine, le haut-
parleur d'un camion du service de l'hygiène hurlait les
méfaits de la malaria et de la tuberculose. Dominant
ce tumulte, le Gilet Vert semblait lancer une invitation
que Raju ne pouvait pas ignorer. Il n'était pas dans sa
nature de résister à un appel aussi pressant. Raju se
tenait un peu à l'écart de la foule ; pas trop, car il
devait garder le contact. Mais un contact suffisamment

discret pour qu'il ne fût pas repéré par un agent de police. Torse nu, il portait sur les reins une étoffe drapée ; un énorme turban ceignait sa tête, noyant son visage dans l'ombre ; il espérait qu'on le prendrait pour un paysan des environs.

Assis sur le squelette d'un régime de bananes près d'un éventaire, Raju observait la foule. Cette observation était son métier. Oisif de naissance, il n'était doué d'énergie que pour deux activités : observer une foule et mettre la main dans la poche de quelqu'un. C'était un risque. Quelquefois, il ne tirait rien de l'aventure, heureux s'il en sortait avec les doigts intacts. Certains jours, il en rapportait un stylo dont le receveur du bureau municipal ne lui offrait pas même quatre annas — sans parler du risque d'être confondu. Raju s'était promis qu'un jour il laisserait les stylos tranquilles ; ils sont trop encombrants, fuyants et d'une valeur insignifiante. Les montres étaient à mettre dans le même sac.

Ce que Raju préférait ? Une belle bourse, bien gonflée. S'il en voyait une, il s'en saisissait avec l'adresse la plus souple. Il prenait l'argent, jetait la bourse et rentrait à la maison avec la satisfaction du devoir accompli. Après s'être aspergé le visage et les cheveux, il rectifiait sa mise et descendait la rue comme un citoyen ordinaire. Il achetait des bonbons, des livres, des ardoises pour ses enfants, à l'occasion une pièce de tissu pour sa femme. Vis-à-vis d'elle, il n'avait pas toujours la conscience tranquille. Quand il rentrait chez lui avec trop d'argent, il le cachait dans une enveloppe qu'il glissait sous une tuile du toit. Elle aurait posé trop de questions et se serait rendue malheureuse. Elle voulait croire qu'il s'était réformé et que l'argent qu'il lui montrait provenait de commissions ; elle n'avait jamais demandé ce qu'étaient les commissions ; pour elle, une commission était quelque chose d'absolu.

*_**

Fasciné par le Gilet Vert, Raju sauta de son poste d'observation et suivit sa cible, restant à trois pas en arrière. Distance réglementaire, calculée autant par intuition que par pratique. En fait, la distance ne doit être ni trop grande — il faut observer les allées et venues de la main qui sort ou rentre la bourse — ni trop minime — il ne faut pas provoquer la suspicion. Elle doit être finement évaluée à la manière du shikari qui veut pister le gibier et rentrer chez lui sain et sauf. Seulement, la tâche du chasseur en ville est plus complexe : dans la jungle, il s'agit d'abattre sa proie; ici, il faut extraire le cœur de la proie sans la blesser.

Raju attendit patiemment, examinant des tapis de jonc, tandis que le Gilet Vert, arrêté à un comptoir, buvait lentement le jus d'une noix de coco. Après en avoir sucé tout le lait, il attendit encore qu'on lui cassât la noix et qu'on décortiquât la pulpe moelleuse et blanche avec un couteau. Cela n'en finissait pas. La vue de la pulpe qui disparaissait dans cette bouche donna à Raju une folle envie d'en manger. Il repoussa cette pensée ; ce serait trop bête de passer son temps à boire et à manger pendant les heures de travail ; l'autre peut filer, être perdu pour toujours.... Raju le vit sortir sa bourse noire et commencer à débattre le prix de la noix avec le marchand. Sa voix avait un son de scie qui déconcerta Raju. Elle ressemblait au rugissement du tigre, mais un chasseur endurci recule-t-il parce que le rugissement d'un tigre précipite les battements de son cœur ? La façon dont il marchandait n'était pas sympathique, elle dénotait un tempérament mesquin, trop d'attachement à l'argent. Ce sont de tels gens aux idées étroites qui font des histoires interminables pour une bourse perdue.... Le Gilet Vert bougea enfin. Ce fut

pour s'arrêter presque aussitôt devant un étalage de
ballons de couleurs. Il en acheta un après une longue
discussion avec le vendeur :

« C'est pour un petit garçon qui a perdu sa maman,
dit-il. Je le lui ai promis. S'il éclate ou si je le perds
avant d'arriver à la maison, il va pleurer toute la nuit....
Je n'aimerais pas cela du tout ! »

Raju eut sa chance quand le Gilet Vert franchit un
étroit passage où les gens se bousculaient pour apercevoir un modèle en cire du Mahatma Gandhi lisant le
journal.

Quelques minutes plus tard, Raju, caché derrière le
parapet en ruine d'un vieux puits, examinait le contenu
de la bourse : dix roupies en pièces, vingt en billets,
quelques annas de nickel. Raju serra les annas dans un
pli du drapé, contre sa taille. « Je vais les donner à des
mendiants », décida-t-il généreusement, en pensant à
l'aveugle qui hurlait à l'entrée de la foire et dont personne n'avait l'air de se soucier. De nos jours, les gens
semblent avoir perdu tout élan de sympathie. Raju noua
les trente roupies à l'extrémité de son turban, qu'il
enroula de nouveau autour de sa tête. Il pouvait tenir
jusqu'à la fin du mois. Il mènerait une vie rangée pendant au moins une quinzaine et irait au cinéma avec sa
femme et ses enfants.

Raju tenait la bourse flasque dans le creux de sa main.
Il ne lui restait plus qu'à l'envoyer au fond du puits, et
il pourrait marcher la tête haute parmi les princes. Il
jeta un coup d'œil sur le puits. Il y avait très peu
d'eau. La bourse risquait de flotter. Une bourse flottante
peut créer les pires ennuis sur cette terre. En l'ouvrant
pour la remplir de cailloux, il découvrit, plié et serré
dans un soufflet, le ballon rouge. « C'est vrai qu'il avait

acheté ça !... » Il se rappela l'orphelin. « Quel idiot de
ranger ça dans un porte-monnaie ! » rumina-t-il, contrarié.
Il vit le père rugir à la recherche de son porte-monnaie
en rentrant chez lui. La vision de l'enfant déçu qui attendait le ballon promis sur le pas de la porte attrista Raju.
L'enfant pleurait. Il n'y avait personne pour le récon-
forter. Peut-être cet homme brutal allait-il le battre s'il
pleurait trop longtemps.... Le Gilet Vert ne devait pas
connaître le langage des enfants. Raju était empli de
pitié à la pensée que l'enfant avait peut-être l'âge de son
second fils. « Imagine que ta femme soit morte.... » (Il
est vrai que cela rendrait peut-être les choses plus
simples pour lui, il n'aurait plus besoin de cacher son
argent sous le toit.) Raju ne pensa plus à cette éventua-
lité, du reste peu profitable. Si sa femme devait mourir,
il en serait vraiment très triste, et puis il devrait
employer toute son habileté à maintenir les petits
tranquilles.... « Cet enfant sans mère doit avoir son
ballon à tout prix ! » décida-t-il. Mais comment ? Il
regarda la foule par-dessus le parapet.... Le ballon ne
pouvait pas être rendu en mains propres. La seule chose
à faire était de le remettre dans la bourse vide et de
glisser le tout dans la poche du Gilet Vert.

Le Gilet Vert contemplait les remous que la foule
provoquait en posant d'agaçantes questions au prédicateur de la Bible.

« Où est votre Dieu ? » lui demandait-on. Il s'en
suivait un grand vacarme. Raju marcha en direction
du Gilet Vert, la bourse contenant le ballon (seul) dans
la main. Il allait la glisser dans une de ses poches....

Raju comprit immédiatement son erreur. Le Gilet
Vert saisit son bras et hurla « Au Voleur ! ». Les discu-
teurs perdirent aussitôt tout intérêt pour la Bible et
concentrèrent leur attention sur Raju, qui tenta de
prendre un air outragé.

« Laissez-moi tranquille ! » cria-t-il.

Sans lui donner le temps de deviner son geste, l'homme brandit son poing et le frappa à la joue. Raju fut presque aveuglé. Pendant une fraction de seconde, il oublia complètement où il était, et même qui il était. Quand le brouillard se dissipa et qu'il recouvra la vue, la silhouette qui lui apparut en premier plan fut celle du Gilet Vert flottant au milieu du paysage. Le bras de l'homme était levé, prêt à frapper encore. A cette vue, Raju s'affaissa.

« Je... j'essayais simplement de rendre la bourse.... »

L'autre lui cassa les dents avec une hideuse volupté, puis lui retourna le bras. La foule hurlait de rire et le harcelait. Quelqu'un le frappa encore à la tête.

* *

Même devant le juge, Raju continua d'expliquer :
« J'essayais seulement de lui rendre sa bourse ! »

Tout le monde rit. Cela devint même une plaisanterie du répertoire de la police. La femme de Raju vint le voir en prison, dit : « Tu nous couvres de honte ! » et pleura.

Raju répondit, indigné :

« Pourquoi ? J'essayais seulement de rendre.... »

Il fit ses dix-huit mois de geôle et rentra dans le monde, pas très sûr de ce qu'il allait faire. « Si jamais je vole encore quelque chose, se dit-il, je m'assurerai qu'il n'y a rien à rendre. »

Car depuis ce jour néfaste il devint fermement convaincu que Dieu l'avait doué, lui et ses semblables, d'une agilité à sens unique.

Ses doigts n'étaient pas faits pour restituer.

MASSIMO BONTEMPELLI

Massimo Bontempelli, né à Côme en 1885, fut professeur de lycée jusqu'en 1916, fonda ensuite une revue, et acquit la notoriété littéraire par un style très coloré et un humour subtil.

POUR BELLOVESUS

UN JOUR, comme je me trouvais sur la plate-forme d'un tramway de Milan, un individu à barbe grise, coiffé d'un chapeau vert à la calabraise, fixa sur moi ses yeux blancs de possédé et me dit :

« Je vous demande pardon, monsieur.... »

Je n'aurais jamais imaginé qu'avec ces yeux-là on pût prononcer une phrase aussi polie. Je me remis donc de ma première sensation, proche de l'effroi.

« Je vous demande pardon, monsieur, pouvez-vous me dire où se trouve la rue Bellovesus ?

— Je ne sais pas, répondis-je avec autant de bonne grâce que possible. Je dois vous dire, ajoutai-je par je ne sais quel besoin de me justifier, que je ne suis pas de Milan.

— Ah ! »

Ce « ah ! » n'était pas un de ces « ah ! » bien gras, bien étalés, épiscopaux, qui, dans les dialogues de la vie quotidienne, indiquent une conclusion pleinement satisfaisante et vous laissent l'esprit apaisé. C'était un « ah ! » aride, lourd de sarcasmes. Les romanciers n'ont pas encore trouvé la manière de distinguer ces « ah ! » des autres par l'orthographe ; ils écrivent tout bonnement *ah !* dans les deux cas, ainsi que dans une infinité d'autres cas intermédiaires et collatéraux. Ce n'est pas une mince lacune de notre art.

J'éprouvais un mécontentement obscur et restais sur la défensive, tandis que le tramway continuait sa course le long des avenues droites et des rues courbes de la ville laborieuse.

L'homme insista, et, d'un ton menaçant :

« Et si vous étiez de Milan ? me demanda-t-il.

— Si j'étais de Milan ? lui répondis-je avec une prompte logique, il serait plus probable, mais pas certain, toutefois, que je saurais où se trouve la rue Bellovesus. »

La satisfaction intime que m'inspira la netteté de ma réponse me ragaillardit, et, pendant un moment, je me crus libéré du surprenant personnage, car, tout de suite, il s'adressa au plus rapproché de nos compagnons de voyage, un homme commun avec un chapeau melon et une épingle de cravate. C'est avec les mêmes yeux et la même voix qu'il lui demanda à lui aussi :

« Je vous demande pardon, monsieur.... Vous êtes de Milan, vous ?

— Oui, répondit avec empressement le monsieur au chapeau melon. Tout ce qu'il y a de plus de Milan. Du Verziere !

— Alors, vous qui êtes tout à fait de Milan, pouvez-vous me dire où est la rue Bellovesus ? »

L'homme commun se cabra :

« Qu'est-ce que vous voulez dire ?

— Savez-vous, monsieur de Milan, savez-vous qui fut Bellovesus ? »

L'autre le regarda, puis me regarda, ainsi que tous les voyageurs autour de nous, lança un coup d'œil appuyé à la rue qui se déroulait sous nos yeux, enfin, brusquement, comme le tramway ralentissait, descendit en toute hâte et s'engouffra sans se retourner dans la première rue transversale.

Le tramway s'était arrêté. L'aimable énergumène revint à moi :

« Mais vous, monsieur, qui, tout au moins, n'êtes pas de Milan, je vous en prie, descendez avec moi ! »

Je ne sais quelle force me poussa à lui donner satisfaction.

Au coin d'une rue, un agent de la circulation somnolait, tête basse. L'ami le réveilla :

« Monsieur l'agent, pouvez-vous me dire où est la rue Bellovesus ? »

Tiré de son sommeil, l'autre murmura :

« Pellifessus, Pellifessus, j'sais pas, moi....

— Vous pourriez regarder dans votre guide.... »

Avec une douceur infinie, cet exilé napolitain tira un petit livre de son sein et se mit à le feuilleter.

« Comment dites-vous ça ? Pelluréus ?

— Non : Bellovesus, avec un B.

— Bellezza... Bellini... Bellotti.... Nous y voilà.... Benacus... non ; Billevesus n'y est pas, Excellence. »

Nous le laissâmes, car il était à bout de forces. Je

suivais mon compagnon, très agité, avec le plus grand
intérêt, mais non sans peine. Je le vis se précipiter sur
un fiacre vide et paisible qui avançait cahin-caha vers
nous. Nous l'arrêtâmes, l'occupâmes. Une fois solide-
ment établi, mon compagnon dit au cocher d'un air
dégagé :

« Conduisez-nous rue Bellovesus. »

A ma stupéfaction, le cocher ne dit rien : il ne se
retourna même pas vers nous, mais fit claquer son fouet
en l'air, lança quelque chose au cheval et partit. Et
nous avec lui.

Et la voiture roula, traversant d'innombrables rues,
des places illustres, de hardis carrefours, au milieu de
cette foule bruyante qui fait de Milan la Cité de la vie
intense et de la vie laborieuse. Mon compagnon s'était
enveloppé dans un digne silence ; ayant rabattu sur son
front le rebord de son vert chapeau calabrais, il contemplait mystiquement le bout carré de ses souliers. Je
respectais ce silence et cette contemplation, et m'intéres-
sais aux paysages citadins que nous traversions. Déjà,
les places et les rues devenaient moins fréquentées,
moins illustres. Les boutiques et les maisons prenaient
un air faubourien. Nous pénétrâmes dans l'inconnu.
Nous atteignîmes l'aborigène. De temps en temps,
poussé par on ne sait quelles raisons occultes, au lieu de
continuer tout droit, le fiacre tournait dans une rue
latérale. Aux bars succédèrent les auberges : la voiture
cahotait de plus en plus ; elle semblait exprimer une
sanglotante nostalgie des pavés lointains.

Après deux ou trois virages tout à fait imprévus, la
lumière redevint plus brillante, les débits de vin avaient
disparu tandis que réapparaissaient les bars romantiques avec leurs épiceries douteuses. Je sentis de nou-

veau des brises familières ; des boutiques plus nombreuses surgirent à l'horizon, puis des glaces de grands
magasins. Graduellement, en retrouvant le visage de
rues et de places connues, je recouvrai mes esprits ;
quelques carrefours audacieux m'apprirent que j'étais
revenu près du cœur de ce grand corps dont j'avais
exploré les membres les plus lointains.

A cet instant, sans raison apparente, le cheval s'arrêta
tête basse, la voiture s'immobilisa. Le cocher se pencha
légèrement vers nous et nous dit :

« Je n'ai pas très bien compris. Quelle rue avez-vous
dit ?

— Rue Bellovesus.

— Maintenant, je vois. Elle n'existe pas, cette rue-là,
à Milan. »

Mon prodigieux compagnon se tourna vers moi :

« Je le savais bien qu'elle n'existe pas.

— Mais alors, me risquai-je à demander, pourquoi la
cherchez-vous ?

— Parce qu'elle n'existe pas. »

Le cheval, l'automédon, la voiture, le personnage et
moi demeurions tous immobiles et muets. Seul le
taximètre paraissait animé de mouvement. J'en détour-
nai les yeux. Mon compagnon me demanda :

« D'où êtes-vous, monsieur ? »

J'ai toujours à ma disposition un certain nombre de
villes natales selon les circonstances. J'eus l'excellente
inspiration de répondre :

« Je suis de Rome.

— Savez-vous, monsieur, qui furent Romulus et
Rémus ? »

Ma mémoire me fit revoir, en un éclair, l'école de mon
enfance et je récitai :

« Romulus et Rémus, monsieur, furent les fondateurs
de Rome, capitale de l'Italie.

— Et que diriez-vous, monsieur, d'un Romain qui ne saurait pas qui furent Romulus et Rémus ?

— Je dirais, monsieur, que c'est un sourd-muet !

— Un sourd-muet ! Soyez béni à jamais pour cette parole ! Les Milanais — et il allongea la main pour indiquer le dos du cocher, la queue du cheval, le pavé, la maison d'en face, la foule des passants — les Milanais sont des sourds-muets ! Ils ne savent pas qui fut Bellovesus. Bellovesus fut le Romulus et Rémus de Milan. C'est le Gaulois Bellovesus, monsieur, neveu d'un roi des Bituriges, qui, près de six cents ans avant Jésus-Christ, franchit les Alpes, campa ici, et fonda Milan, capitale morale de l'Italie. Et à Milan, personne, personne, absolument personne ne le sait. A Milan, il n'y a pas une rue, une place, une avenue, un boulevard, un bastion, un monument, une ruelle, un portique, un café, une école, une maison de passe — qui consacre le nom de Bellovesus ! Descendons, monsieur. La voiture, c'est moi qui la paie ou c'est vous ?

— Payez-la, vous, proposai-je.

— Bien. »

Il paya et descendit. Je descendis à mon tour. Comme j'allais lui dire au revoir, il disparut.

ACHILLE CAMPANILE

Né à Rome en 1900, auteur de nom-
breux romans et nouvelles comiques,
journaliste, Achille Campanile a mul-
tiplié les preuves de son talent dans un
genre qui atteint souvent la loufoquerie
sans lui faire perdre pour autant son
humour.

L'INCENDIE DU PALAIS FOLENA

J'ÉTAIS à l'époque directeur d'un quotidien. Une nuit, un incendie éclate. J'appelle l'huissier.

« D'Artagnan ! »

A vrai dire, l'huissier se prénommait Jules ; mais, travaillant dans un journal politique, il avait jugé bon d'adopter un pseudonyme.

« Appelez-moi le rédacteur chargé des incendies !

— Il est rentré chez lui, Excellence. »

Je ne suis jamais arrivé à faire perdre à mon huissier l'habitude de m'appeler *Excellence ;* en revanche, je n'ai jamais pu donner cette habitude aux autres.

Esclave de sa montre, le rédacteur des incendies rentrait chez lui à dix heures, le monde eût-il croulé. Tant pis pour les incendies qui survenaient en dehors de l'horaire.

« Alors, dis-je, appelez-moi le rédacteur spécialisé dans les catastrophes.

— Il est malade.

— Mais alors, qui se trouve à la rédaction ?

— Le chroniqueur mondain.

— A la bonne heure, faites-le venir ici. »

Une minute après, le chroniqueur mondain entrait, en frac.

« Vite ! lui dis-je. Allez me faire le compte rendu de l'incendie du palais Folena.

— Mais je suis le chroniqueur mondain !

— Il n'y a pas de « mais » qui tienne. Je n'ai personne d'autre à envoyer. Allez, allez, prenez des notes et, dès que vous serez revenu, vous me ferez un long compte rendu.

— Je ne saurais même pas par où commencer.

— Écrivez ce que vous verrez. Vous n'avez pas d'yeux ? Faites vite, prenez un taxi, courez !

— Mais l'invitation ?

— Quelle invitation ?

— L'invitation pour assister à l'incendie.

— Ça ne se fait pas sur invitation, N... de D... ! Allez ! »

Le chroniqueur mondain partit.

Voici le compte rendu qui parut le lendemain :

Un éblouissement de lumières et de scintillements, un inoubliable tourbillon de nudités féminines, tel est le spectacle que la vie mondaine offre de temps en temps au monocle las du chroniqueur blasé. Hier soir, un grandiose, un inoubliable incendie, auquel ont participé tous les habitants de la luxueuse demeure, s'est déroulé dans les somptueux salons du palais Folena. Nous avons noté dans l'assistance le corps des pompiers au grand complet ; la comtesse Folena, chaussée de magnifiques souliers d'homme, une descente de lit voilant ses formes sculpturales ; le comte, moulé dans un caleçon long qui lui serrait la cheville ; etc. On a beaucoup admiré la jeune comtesse dans un délicieux petit pyjama rose, et sa gouvernante anglaise en chemise de nuit. Également remarqué le concierge du palais Folena entouré de sa famille, et les portiers des immeubles adjacents. Nous nous excusons de ne pouvoir publier leurs noms, faute de place. Beaucoup de décolletés ainsi qu'un très grand nombre de pantoufles. L'incendie s'est prolongé jusqu'à l'aube au milieu de la plus grande animation. Alors les pompiers et le reste de l'assistance ont pris congé, emportant le souvenir impérissable du beau spectacle que, nous en sommes bien certains, la traditionnelle courtoisie des comtes Folena se fera un plaisir de renouveler pour la plus grande joie de leurs amis.

Achille Campanile

DANS LE TRAIN

A SEPT HEURES du matin, Charles-Albert pénétra
dans la gare de Rome. Un porteur le conduisit
jusqu'au train de Naples.

« A vrai dire, observa le jeune homme, je dois plutôt
aller à Florence.

— Montez ! dit le porteur.

— Toujours autoritaire », soupira Charles-Albert en
prenant place dans le train de Naples.

Quelques minutes à peine le séparaient du départ.

Ces dernières minutes sont interminables. Les voyageurs et les personnes qui les ont accompagnés à la gare
n'ont plus qu'un désir : c'est que le train parte. A chaque
signal, ils renouvellent des adieux définitifs. Ils n'ont
plus rien à se dire. Un appel retentit, et tous se congra-
tulent avec un air de soulagement. Mais le train ne part
pas. Une sirène mugit — et de nouveau tous se disent
au revoir. Mais la sirène n'était pas pour ce train. Un
coup de sifflet déchire l'air : nouveaux saluts, recomman-
dations, et demi-phrases d'acquiescement. Quand per-

sonne ne s'y attend, le train profite de l'inattention générale pour se mettre en marche.

Auprès du train qui se trouvait sur le quai voisin se tenaient un jeune homme et une jeune fille qui s'étaient embrassés à chaque sifflet, à chaque sonnerie, à chaque sirène, à chaque échappement de vapeur, à chaque secousse de la locomotive.

Tout à coup, leur train partit, et sans s'émouvoir tous deux vinrent se placer auprès du train de Naples comme s'il leur était indifférent d'aller dans un pays plutôt que dans un autre. Comme le contrôleur passait en criant : « En voiture ! » ils recommencèrent à s'embrasser.

« Montez ! leur lança Charles-Albert, vous allez encore laisser partir ce train.

— Je ne pars pas, répondit le jeune homme.

— C'est mademoiselle qui part ?

— Non. Il s'agit d'un amour contrarié. Nous ne pouvons plus nous voir à la maison, nous venons ici pour être plus libres. Le train de Florence part dans un instant, nous ne voulons pas le manquer. Permettez.... »

Il y avait déjà foule dans le train de Naples, lorsqu'une femme ravissante, ayant l'accent français, quoiqu'elle fût d'origine égyptienne, se pencha dans le compartiment occupé par notre héros et demanda :

« Y a-t-il une place ?

— Tout est occupé, répondit aussitôt un monsieur à lunettes d'or et d'un âge incertain. (Il pouvait avoir quatre-vingt-dix comme quatre-vingt-quinze ans.)

— Quand le train partira, fit la dame, qui sembla soudain fort désireuse de connaître cet individu, nous verrons bien à qui sont tous ces chapeaux. »

Le monsieur aux lunettes d'or regarda le chapeau placé entre Charles-Albert et lui. Il le regarda comme une de ces choses qu'on voit pour la première fois, mais dont l'aspect ne vous est pas totalement inconnu. En effet, après un rapide examen, il le mit sur sa tête.

La dame prit la place et Charles-Albert dit :

« Il n'est rien de pis que de laisser un chapeau pour garder une place, et de ne plus retrouver la place.

— A moi, dit le vieillard aux lunettes d'or, il m'est arrivé beaucoup plus grave. Je n'ai plus retrouvé le chapeau. »

Alors un autre voyageur, qui semblait dormir, ouvrit les yeux et dit à Charles-Albert :

« Moi, je suis un penseur. Or j'ai pensé ceci : en dehors des voyages, rester une demi-heure et même une heure debout n'est pas considéré comme une calamité. En train, fût-ce pour un déplacement d'un quart d'heure, on s'essouffle à chercher une place, à la choisir, s'il est possible, dans un coin, et l'on ne serait pas fâché de garder libre de surcroît la place voisine pour se trouver plus à l'aise, comme s'il s'agissait là d'un établissement définitif.

— C'est vrai, dit Charles-Albert, je n'y avais jamais pensé. Et je ne veux pas y penser.

— Je me souviens, poursuivit le penseur, d'avoir rencontré dans un train un homme qui se désolait de n'avoir à faire qu'un voyage de dix minutes, parce qu'il n'avait pas le temps, disait-il, de choisir une bonne place. Et, pour ce faire, il est descendu à une station après la sienne [1]. »

Le penseur referma les yeux. Il les rouvrit quelques minutes plus tard et déclara :

« S'il me vient à l'esprit quelque autre pensée, je vous la communiquerai.

---

1. Historique.

— Merci », répondit Charles-Albert.

Brusquement, le train démarra.

Le monsieur aux lunettes d'or n'attendait que cela. Il se dressa aussitôt, descendit sa valise du filet, en sortit un béret de voyage dont il se couvrit le chef. Puis il ôta sa veste qu'il troqua contre un cache-poussière, venu lui aussi de ladite valise. Il défit son faux col et le remplaça par un mouchoir. Il se déchaussa et enfila une paire de pantoufles. Enfin, s'étant ganté de fil gris, il gonfla un oreiller pneumatique, le posa sous sa tête, et ferma les yeux.

Tout cela avec une extrême circonspection.

Un monsieur blond oxygéné, assis en face de lui, demanda :

« Monsieur, vous devez aller bien loin.

— Non, je descends à la prochaine. »

Et en effet, dix minutes ne s'étaient pas écoulées que le vieux voyageur, après avoir consulté sa montre, s'empara de nouveau de sa valise et procéda aux opérations inverses.

**

« La fumée vous dérange-t-elle ? demanda Charles-Albert à sa voisine.

— Non, je fume aussi.

— Merci. Moi, je ne fume pas.

— Alors, pourquoi me le demandez-vous ?

— Je parlais de la fumée du train. »

Après une pause, Charles-Albert redemanda :

« Est-ce que la fumée vous dérange ?

— Laquelle ?

— La fumée de la cigarette.

— Non, je fume aussi.

— Moi, je ne fume pas.

— Alors, pourquoi me le demandez-vous ?

— Par curiosité. »

A ce moment-là, le vieillard qui s'était levé retomba sur son siège et dit d'un air désolé :

« Ça y est, elle est passée.

— Quoi donc ? lui demande-t-on.

— Ma gare.

— Ce n'est pas possible ?

— Et pourtant c'est ainsi. Elle devait être de ce côté. Et je ne vois ni le bouquet d'arbres ni la rugosité de son mur décrépi.

— Depuis quand avez-vous quitté cette ville ?

— Une semaine.

— Curieux ! Vous avez dû vous tromper. Vous la verrez bientôt apparaître.

— Croyez-vous ?

— Assurément.

— Plaise au Ciel ! » s'exclama l'octogénaire et, se rasérénant aussitôt, il se mit à fredonner un air à la mode. Mais les gares se succédaient, et le pauvre vieillard ne trouvait pas la sienne.

A une petite station de second ordre monta dans le compartiment un homme gras, qui portait sous le bras une serviette de cuir. Il s'assit et, instantanément, s'endormit.

Ces messieurs gras qui dorment dans le train se rencontrent sur tous les réseaux. Dès qu'ils ont mis le pied dans un compartiment, ils ferment les yeux et s'endorment. Quelle que soit leur position, de jour ou de nuit, pour un parcours d'une demi-heure ou de douze heures, ils dorment pendant tout le trajet sans même s'éveiller pendant les arrêts, et, à leur gare d'arrivée, sans que personne les avertisse, par une mystérieuse intuition, ils ouvrent les yeux, se lèvent et descendent.

En effet, deux gares plus loin, le monsieur gras ouvrit les yeux et demanda en s'étirant :

« Où sommes-nous ?

— A Cassino.

— Malédiction ! hurla-t-il en se dressant avec une agilité qu'on ne lui aurait pas soupçonnée. Je devais descendre à la gare précédente ! »

Et se précipitant par la portière, il s'éloigna en poussant des cris.

Pour ma part, quand je dois voyager, je suis tourmenté par la crainte d'oublier quelque chose. Crainte qui m'accompagne pendant tout le voyage. On dit : c'est bien simple. Il suffit de compter ses paquets. Mais le fait est que parmi les choses que j'oublie en voyage il y a celle de compter mes paquets. J'en fis une fois la triste expérience à l'occasion d'un voyage de Rome à Paris. Je me disais : j'ai dû oublier quelque chose, et je comptais les paquets. J'avais l'impression d'avoir oublié quelque chose, mais je n'arrivais pas à trouver quoi. Vers le soir, je trouvai : j'avais oublié de partir.

ACHILLE CAMPANILE

« PAUL TRÈS MAL »

QUAND le pauvre Paul fut mort — en l'absence de sa
femme, qui passait justement quelques semaines
chez ses beaux-parents —, ses amis se regardèrent
avec épouvante.

« Maintenant, dirent-ils, il va falloir prévenir sa
femme, son père, sa mère, ses sœurs, pour qu'ils puissent
assister à l'enterrement.

— Vous vous rendez compte du coup que ça va leur
porter ! dit Olympio.

— Il y a de quoi leur flanquer une attaque d'apoplexie
si nous leur télégraphions de venir parce que Paul est
mort, déclara Ernest.

— Naturellement, on ne peut pas leur télégraphier
brutalement la nouvelle du décès, reprit Olympio. Ces
pauvres gens doivent affronter la fatigue du voyage ; il
serait inhumain de notre part de les exposer à le faire,
torturés par cette certitude. Nous allons télégraphier,
comme il est d'usage dans des cas semblables : « PAUL
TRÈS MAL. VENEZ TOUT DE SUITE. »

— Alors, dit Louis ; autant leur télégraphier : « PAUL DÉCÉDÉ. »

— C'est pour ne pas les alarmer.

— Mais, malheureux ! on sait très bien que lorsqu'on télégraphie « *très mal* », ça veut dire « *décédé* ». Tu viens de le dire toi-même, c'est l'usage dans ces cas-là. Tout le monde sait que la mort s'annonce par télégramme de cette façon.

— Alors télégraphions : « PAUL MAL. » C'est moins alarmant.

— Non. Ils comprendront que nous ne voulons pas les inquiéter en télégraphiant « *très mal* », c'est-à-dire « *mort* ».

— Alors, télégraphions : « PAUL PAS BIEN. VENEZ TOUT DE SUITE. »

— Tu crois que c'est possible ? Si quelqu'un est si peu bien que son état exige l'arrivée immédiate de ceux qui lui sont chers, ça veut dire qu'il va très mal et nous retombons dans la même difficulté. Il y a de quoi tuer ces malheureux. Ou bien ils nous prendront pour des fous.

— C'est juste. Alors, télégraphions : « PAUL PAS AU MIEUX. VENEZ TOUT DE SUITE. » Ou bien : « LÉGÈRE INDISPOSITION, PAUL DEMANDE VOTRE ARRIVÉE IMMÉDIATE. »

— Cher ami, le difficile n'est pas le « *pas bien* », ou « *pas très bien* », ou l' « *indisposition* ». C'est le « *venez tout de suite* », l'appel urgent, qui ôte toute valeur à l'euphémisme. Bien mieux, plus la seconde phrase contredira la première, plus nous les inquiéterons. Si nous disons « *Paul assez bien* » ou « *Paul bien* », en ajoutant « *venez tout de suite* », je défie n'importe qui ayant un tant soit peu d'affection pour Paul de ne pas s'alarmer. C'est plutôt à la seconde phrase que nous devons veiller pour éviter de les inquiéter. Il ne faut pas leur lancer la nouvelle en pleine poitrine !

— Cependant, dit Olympio, soucieux, il nous faut les faire venir ici pour l'enterrement. Nous ne pouvons pas leur télégraphier : « PAUL NE VA PAS BIEN. RESTEZ LA OU VOUS ÊTES. »

Il y eut un silence.

Le vieux Georges eut une inspiration :

« Et si nous leur télégraphiions : « PHILIPPE TRÈS MAL (au lieu de Paul). VENEZ TOUT DE SUITE. »

— Qu'est-ce que Philippe a bien à voir avec la mort de Paul ? demanda Olympio.

— Comme ça, ils ne s'inquiéteraient pas, insista Georges.

— C'est une solution idiote ! Ils ne s'inquiéteraient pas, mais ils ne comprendraient pas davantage ! Qui est-ce, ce Philippe ? Le concierge ? Ils diraient que nous sommes devenus fous. »

Le vieux Georges n'avait pas l'habitude de renoncer facilement à ses idées, même quand elles étaient extravagantes.

« Tu devrais comprendre, dit-il avec insistance, que, comme cela, nous pourrions télégraphier sans nous gêner, de la façon la plus brutale : « PHILIPPE MORT, PHILIPPE ENTERRÉ ; VENEZ TOUT DE SUITE. »

— Mais quel serait le résultat, sacré Georges ? s'écria Ernest. Je reconnais bien que l'expédient résoudrait un problème, puisque la mort du concierge ou d'un inconnu dénommé Philippe ne les alarmerait pas le moins du monde. Mais ça n'arrangerait rien du tout. Tout au plus diraient-ils : Philippe est mort ? Bon. Mais nous, nous sommes vivants.

— Je ne les crois pas aussi cyniques. Et je maintiens mon idée.

— En quoi le cynisme entre-t-il là-dedans ? A quoi bon télégraphier la mort d'un inconnu ? Tâche de te faire entrer ça dans la tête ! »

Le vieux Georges s'obstinait :

« Bien qu'ils ne comptent aucun Philippe parmi leurs parents ou leurs amis, je n'en suis pas moins convaincu qu'ils ne peuvent pas ne pas éprouver, pour la mort d'un de leurs semblables, ce minimum de pitié humaine qu'on ne refuse pas même à un chien.

— Mais pas au point de partir en voyage pour venir ici !

— C'est vrai! fit Georges, finissant par se rendre. Mais alors, comment allons-nous faire ? »

GIOVANNI GUARESCHI

*Il est à peine besoin de présenter
Giovanni Guareschi aux lecteurs français, familiers du* Petit Monde de
Don Camillo. *Né en 1908 à Parme,
il dut à sa plume de satiriste un long
séjour dans la prison de sa ville natale,
après qu'il eut connu pendant la guerre
plusieurs camps de concentration en
Pologne et en Allemagne.*

LA FICHE

L'AGENT MERLETTO fit son rapport : *Joséphine
Tricot, née Jean, âgée de cinquante-huit ans, veuve
d'avant guerre, relativement aisée. Ne s'occupant
pas de politique. Trouvée morte dans son appartement.
Porte au front la trace d'un coup de fer à repasser.*

« Combien de pièces, l'appartement ? demande le
commissaire.

— Trois, plus une cuisine. Mais il est déjà retenu,
répond l'agent.

— Vilaine affaire, marmonne le commissaire. Sait-on quelle est la dernière personne qui est montée chez la vieille ?

— Un homme qui vend des livres par abonnement. Un type d'un mètre quatre-vingts, gros, blondasse, avec des yeux bleus. La concierge en est absolument sûre.

— Bon. File et retrouve-le. »

Deux heures après, l'agent Merletto est de retour.

« En fait de marchands de livres par abonnement, je n'ai trouvé qu'un certain Bélisaire ; mais on m'en a promis deux autres avant ce soir.

— Comment est-il, ce Bélisaire ?

— Un mètre cinquante, maigre, chauve, les yeux noirs.

— Inscrit à un parti ?

— Aucun parti.

— Bon. Tu sais que je ne veux pas d'ennuis avec les partis ? Fais-le entrer. »

Entre Marc Bélisaire, quarante-cinq ans, sans parti, maigre, chauve et tremblant.

« Je suis en règle, balbutie-t-il. J'ai ma patente pour vendre des livres.

— Et pour tuer les vieilles femmes, tu l'as, ta patente ? dit en ricanant le commissaire.

— Moi ? » commence le petit homme.

Une énorme gifle de l'agent Merletto le foudroie.

« Je suis un citoyen libre ! s'écrie le petit homme. Vous n'avez pas le droit de porter la main sur moi !

— Il a raison ! approuve le commissaire. Il ne faut pas porter la main sur lui. »

Et, saisissant un gros presse-papiers de fonte, il le lui fait tomber sur le pied.

Quand le pied du petit homme peut reprendre contact avec la terre, le commissaire lui demande cordialement comment il a bien pu avoir l'idée de tuer la vieille.

Le petit homme balbutie qu'il n'en sait rien. Le commissaire en paraît considérablement attristé. Il appuie la main sur un bouton de sonnette.

« Tâche un peu de l'aider à se souvenir ! » explique le commissaire à un colosse qui se présente sur le pas de la porte.

Le colosse saisit le petit homme au collet et disparaît. L'agent Merletto sort. Il va se livrer à de nouvelles constatations dans l'appartement de la vieille dame.

Un quart d'heure après, le colosse rentre, tenant sous le bras un paquet de loques.

« Qu'est-ce que c'est que cette saleté-là ? lui demande le commissaire.

— C'est c'lui d'y a un instant, explique le colosse en déposant le paquet de loques sur la chaise. Il a tout avoué. Il reconnaît que c'est bien lui qui a forcé le coffre-fort de l'orfèvre.

— Qu'est-ce que c'est que cette histoire d'orfèvre ? hurle le commissaire. Il s'agit de l'assassinat d'une vieille femme. Est-il possible que tu ne comprennes jamais rien ?

— Ne vous fâchez pas, dit le colosse en reprenant le petit homme au collet. Vous ne m'aviez rien dit, j'ai cru qu'il s'agissait de l'affaire d'avant. Mais c'est une question de dix minutes. On va tout recommencer. »

A cet instant entre l'agent Merletto.

« C'était une fausse alerte ! s'écrie l'agent Merletto. La vieille n'était pas morte ; elle est revenue à elle. Elle a dit qu'elle avait grimpé sur une chaise pour prendre un fer à repasser qui était sur l'armoire, qu'elle est tombée et que le fer lui est tombé sur le crâne.

— Arrête ! ordonne le commissaire au colosse. Lâche-le !

— Ce n'est pas possible ! Il a avoué qu'il avait fracturé le coffre-fort de l'orfèvre.

— Mais qu'est-ce que tu veux que ça m'foute ? hurle le commissaire. Il y a trois heures que les coupables sont arrêtés. »

Le commissaire s'adressa alors au petit homme dont la tête émergeait à peine du faux col.

« Voyez un peu dans quelles difficultés vous me mettez ! Je devrais vous arrêter pour crime simulé, malheureux que vous êtes ! Allez-vous-en, mais faites bien attention !

— Merci, balbutia le petit homme. Merci beaucoup. Je vous demande bien pardon. Mais c'est la première fois qu'on m'arrête. Je n'ai pas l'habitude. »

Il partit en faisant de grands saluts.

« Inscris-le dans tes fiches ! ordonna le commissaire. C'est un type qui ne me revient pas. »

MONSIEUR X...

Monsieur X... devait se rendre à Turin. C'est pourquoi il dit à sa femme qu'il allait à Bologne et sortit.

Pour aller plus vite, il prit le chemin du jardin public. Il marchait rapidement, mais bientôt il lui fallut s'arrêter devant un écriteau portant l'inscription : « *Il est interdit de piétiner les plates-bandes.* »

Alors, non sans grommeler, il traversa les plates-bandes et se crotta jusqu'aux genoux. A peine dans la rue, il franchit la chaussée au feu rouge et laissa un morceau de son pardessus à une automobile qui, de toute façon, l'aurait pris en écharpe.

Le tram arrivé, monsieur X... se hâta de monter par la porte réservée à la descente, ce qui lui valut une altercation avec le contrôleur. Il se mit à hurler :

« Vous ne savez pas qui je suis ! »

Il paya donc une amende et reçut, par-dessus le marché, un coup de poing dans l'œil.

A la gare, il eut la chance de trouver son train stationnant sur le premier quai, face à l'entrée. Mais attiré par un écriteau qui indiquait : « *Défense de traverser les voies* » monsieur X... fit un long détour pour traverser les lignes et arriver ainsi à contre-voie, comme interdit.

Il trouva un compartiment où plusieurs places étaient libres. Il s'assit. Mais très vite, une terrible inquiétude le gagna.

« Quelle classe est-ce ?

— Seconde. »

Il se leva, furieux. Il avait un billet de seconde. Il parcourut donc tout le convoi pour trouver un wagon de première, mais ce train n'en comportait pas. Ne pouvant, pour des raisons morales, occuper la place de seconde classe à laquelle lui donnait droit son billet, monsieur X... décida de voyager en troisième.

Au cours du trajet, il considéra avec tristesse le piteux état de son compartiment.

« Avant, au moins, il était interdit de mettre les pieds sur les banquettes! soupira-t-il. Maintenant, n'importe qui peut faire n'importe quoi. On n'a plus aucun plaisir à voyager ! »

Il alla dans le couloir, cracha par terre sans enthousiasme, s'évertua une demi-heure à dénicher un bout de cloison qu'il pourrait convenablement détériorer avec son canif et son crayon ; mais il détériora en blasé. Aussi bien ce fut sans conviction intime qu'il fit usage des cabinets pendant l'arrêt du train dans une gare. Enfin, il eut un sursaut de joie.

Un avis collé à la vitre indiquait : « *Attention, travaux en cours sur le pont de Piacenza. Il est recommandé de laisser les fenêtres fermées.* »

Il attendit anxieusement le passage du Pô, et, dès que le train se fut engagé sur le pont, se pencha par la portière jusqu'à la ceinture. Son crâne heurta une poutrelle. Monsieur X... tomba, raide mort.

. . . .

C'est ainsi que monsieur X... se trouva devant la porte du paradis. Sur cette porte, il y avait une plaque de marbre où étaient gravées ces paroles :

« JE SUIS LE SEIGNEUR TON DIEU ET TU N'AURAS PAS D'AUTRE DIEU QUE MOI. »

« Vive Mahomet ! » hurla alors l'âme de monsieur X... en piquant une tête dans l'enfer.

« Je les ai bien eus ! Tous ! Même le Père Éternel ! » constata-t-il, heureux, comme les flammes l'entouraient.

Mariusz Kwiatkowski

Polonais né en 1917 à Pétrograd, Mariusz Kwiatkowski, journaliste, satiriste, a écrit de nombreuses nouvelles et pièces de théâtre où il fait montre d'un grand don d'observation.

LES GANTS

L'APPARTEMENT offrait le spectacle d'un champ de bataille.

« Calme-toi, mon chéri, dit la femme. Ils sont peut-être tout de même dans l'armoire....

— Fiche-moi la paix ! tonna le mari, dégageant sa tête de sous une commode. J'ai regardé au moins dix fois dans l'armoire ! Décidément, j'ai dû les laisser dans le taxi. Je suis sûr de les avoir mis en sortant de chez les Joseph ! Ah ! Zut ! Zut ! Et ils étaient en daim !

— Le chauffeur les rapportera peut-être....

— Idiote !

— Pourtant, il arrive que les objets trouvés soient rendus aux propriétaires. J'ai même lu dans les journaux....

— C'est de la propagande, de la vulgaire propagande. On veut nous faire croire qu'il existe encore des gens honnêtes. Pas à moi ! Ne te fais pas d'illusion, le chauffeur ne les rapportera pas. Il les a volés, tout simplement. A l'heure qu'il est, il se frotte les mains. Un voyou, un voleur ! Il va maintenant pouvoir faire l'élégant à mes frais. La crapule !

— Il a pu les remettre au siège de son entreprise....

— Mettons qu'il les ait remis, et puis après ? Tu te figures peut-être que les employés de bureau de l'entreprise ne mettent jamais de gants ? Je vois déjà le chef de service trop heureux de l'aubaine ! Il les aura pris pour lui. Canaille ! Il va pouvoir parader, les mains gantées de daim....

— Du calme, chéri, tu vas encore attraper une crise de foie ! Peut-être les as-tu tout de même oubliés chez les Joseph ?

— Peut-être. Est-ce que je sais, moi ? Et quand bien même les aurais-je oubliés ?... Je les connais, mes amis Joseph, va ! Ils ne dédaignent pas les occasions. Ils les auront sûrement offerts au grand-père, ce vieux gâteux qui n'a jamais rêvé d'avoir d'aussi beaux gants.

— Enfin... Ce n'est qu'une supposition. Il y a beaucoup de chances que tu les aies laissés dans le taxi.

— Hm !... C'est fort possible. En ce cas, c'est clair comme le jour. C'est Kazio qui me les a piqués. Il est descendu avant moi et il a tout de suite pris ses jambes à son cou. Non sans m'avoir souhaité bonne nuit avec un peu trop d'ostentation. Quelle rusée bête, tout de même ! Un vrai salaud ! Il ne m'a d'ailleurs jamais inspiré confiance. Quand je me suis acheté ces gants, on aurait dit qu'il allait en crever de jalousie. Et à la première occasion il me les a chipés. Je ne lui serrerai pas la main demain. Et je lui dirai ses quatre vérités ! »

La sonnette de la porte retentit. C'était le concierge. Il tenait à la main une paire de gants.

« Ils sont à moi, hurla l'homme. Où les avez-vous trouvés ?

— Un chauffeur de taxi les a apportés, répondit le concierge avec flegme. Il m'a dit qu'après avoir déposé un client devant cette maison il avait trouvé ces gants dans la voiture. Il a donc pensé que c'était son client qui avait dû les oublier.

— Eh !... En effet ! Mais comment avez-vous deviné qu'il s'agissait de moi ?

— Tout simplement parce que vous rentrez tard tous les samedis. Quand on commence une partie de cartes... on sait ce que c'est... Eh bien, au revoir.... »

Le concierge parti, la femme triompha :

« Tu vois ! Je te l'avais bien dit ! J'espère que tu es content maintenant !

— Idiote ! Tu n'as donc pas vu le regard que m'a lancé cet insolent ? Encore un drôle d'oiseau, notre concierge ! Il sait tout. Même que je joue aux cartes le samedi.... Il est venu pour nous espionner, c'est évident. Un faux jeton ! Il a bien regardé autour de lui, rien ne lui a échappé. Ah ! Nous vivons une drôle d'époque ! Où qu'on se tourne, on est entouré de voleurs et de canailles ! »

TADEUSZ ROZEWICZ

Tadeusz Rozewicz, né à Radomsk en 1921, poète et prosateur, n'a manifesté ses dons d'humoriste que pendant une brève période, en les faisant valoir notamment dans des scènes de la vie courante.

LE COUPLE IDÉAL

UN JOUR, quelqu'un vint frapper au logis du vieux ménage Kowalski. Des coups énergiques, presque officiels. La vieille femme pâlit, mais ne bougea pas. Son mari était allé faire un tour ; elle avait peur de se trouver en face d'un bandit ou de quelque malandrin. Elle se décida tout de même à ouvrir lorsqu'elle entendit la voix familière de l'employé de la mairie. Il portait un uniforme à boutons d'argent et une

casquette ronde. Devant l'effroi de la femme, il sourit
et déclara de sa voix la plus solennelle :

« Vous êtes convoqués à la mairie demain à dix heures
du matin. On vous remettra une médaille pour célébrer
vos cinquante ans de vie conjugale exemplaire. Voici
l'enveloppe avec l'invitation. »

Puis, sur un ton plus cordial :

« Permettez-moi d'ajouter mes félicitations person-
nelles. »

Il exécuta un salut militaire et s'en fut.

Quand son mari rentra de promenade, la vieille femme
lui tendit sa joue et dit en souriant :

« J'ai reçu un avis de la mairie. Nous avons gagné
la médaille de la vie conjugale exemplaire. On nous
invite pour demain matin.

— Je n'irai pas ! bougonna le vieux en haussant les
épaules.

— Qu'est-ce qui te prend ?

— Ma vie privée, exemplaire ou non, ne regarde personne. Nous n'avons pas l'habitude de nous donner en
spectacle. Qu'ils ne comptent pas sur moi !

— Voyons, mon ami, ils sont capables de se fâcher.
Pourquoi avoir peur de nous faire voir ? Je mettrai
ma robe bleu marine à col blanc. Il y a cinq ans que je
n'ai pas eu l'occasion de la porter.

— Tu n'as qu'à y aller toute seule, si tu en as envie.

— Toute seule ? Tu n'y penses pas ! J'irais seule
chercher une médaille qui consacre notre vie commune ?

— Bêtises, que tout cela ! Je me demande à quoi te
servira cette médaille dans tes vieux jours !

— Je t'en prie.... Cela nous fera du bien de sortir un
peu, ça nous changera les idées.

— Ah ! toi... quand tu t'es mis quelque chose en
tête ! Elle est à quelle heure, cette cérémonie ?

— A dix heures, paraît-il. »

Le vieillard se rembrunit.

« Tu sais pourtant qu'à dix heures je vais faire mon tour. Je me fiche pas mal de la médaille.

— Mais si, il faut y aller. Tu te raseras, tu mettras une chemise propre, des souliers bien cirés. Moi, je mettrai ma robe marine et peut-être mes gants au crochet, qu'en penses-tu ? »

Le vieillard se mit à nettoyer son fume-cigarette sans répondre. Après avoir soufflé dans le conduit, il sortit de son mutisme.

« Toi, vas-y si ça te chante ! Mais sans moi. Que veux-tu que je fasse de cette médaille ? Que je l'emporte dans la tombe ? Ma vie personnelle n'intéresse que moi. Traîner dans les bureaux, et quoi encore ? Je ne tiens pas à me rendre ridicule. Je les connais, va ! En face on t'épingle la médaille, dans le dos on te tire la langue !

— Ne cherche donc pas de prétextes ! Nous irons ensemble demain matin, sans nous presser, comme en promenade.... Et puis, nous rentrerons.... On passe des jours entiers sans parler à âme qui vive....

— Tu n'as qu'à me parler, à moi ! Je n'ai pas besoin d'étrangers. Si tu en as envie, vas-y seule.

— Ne t'entête pas. Je te laisse réfléchir jusqu'à demain. Tu changeras sûrement d'avis. Nous sortirons ensemble et marcherons doucement, puis nous nous reposerons un peu sur le banc en regardant les gens passer avant d'aller assister à la cérémonie. Il faut bien se distraire un peu, tu es trop sauvage. Oh ! ce n'est pas la peine de me faire la tête, de te mettre en colère.... D'ailleurs, après tout, mets-toi en colère si cela te fait plaisir. »

La vieille femme sortit d'une commode une chemise d'homme, recousit un bouton, puis décrocha sa robe marine pour la brosser.

« Au fond, reprit-elle, tu n'as pas changé. Tu n'as

jamais voulu me sortir ! La promenade, le café, le théâtre, c'était pour les autres. C'est comme ça depuis cinquante ans. Je ne veux pas te faire de reproches, mais reconnais-le ! Une seule fois tu m'as emmenée au café — c'était un an après notre mariage — et tu n'as pas cessé de grogner parce qu'on nous a servi des pâtisseries qui n'étaient pas fraîches. Comme si c'était ma faute ! Les autres hommes emmènent leur femme au théâtre, en promenade, mais toi tu sortais seul, en garçon. Un costume clair, une canne, des souliers vernis, et te voilà parti. A moi le fourneau, le ménage, la lessive ! »

Le vieux lisait un journal en faisant la sourde oreille.

« Pendant ce temps, continua la vieille, mes amies m'enviaient. « Voilà un ménage heureux ! » disaient-elles. Et moi, je serrais les dents et je pleurais en cachette. Quand tu rentrais de tes parties fines, tu réclamais ton dîner, tu grognais encore un peu et tu te couchais. Les usuriers qui te prêtaient de l'argent ne juraient que par toi. « Un homme épatant, votre mari, un vrai trésor ! » disaient-ils en hochant la tête. Et l'argent filait. Tu en dépensais des deux mains…. Pendant que ta femme s'escrimait pour joindre les deux bouts, tu faisais des moulinets avec ta canne en sifflotant et en faisant de l'œil aux jolies filles. Tu penses bien que les voisines n'ont pas manqué de me raconter des choses, mais j'ai tout gardé pour moi en continuant à pleurer….

— Quelle mouche t'a donc piquée, aujourd'hui ? s'écria le vieux en laissant tomber son journal. Tu ne cesses pas de ronchonner ! Impossible de lire seulement tranquille ! Tu me reproches maintenant d'avoir cherché de la compagnie ? Et qu'est-ce que j'aurais dû faire ? Rester tout le temps avec toi pour t'écouter radoter ? Tu n'as jamais eu de conversation. Une cervelle d'oiseau ! De quoi aurais-tu voulu que nous parlions ? Autant

parler à un chat ! Je risquais de m'abêtir, à la longue.
Quand j'étais jeune homme, j'étais plein d'ardeur, le
monde m'appartenait. Et voilà ce que tu as fait de moi !
Un vieux bœuf. Rien ne t'intéressait : dormir, manger,
voilà tout, comme une bête. A part les chiffons ! Quant
à l'argent que je dépensais, c'était mon argent à moi,
non ? Qu'est-ce que tu m'as apporté en dot ? Tu avais
tout juste ta chemise sur le dos, quand je t'ai épousée.
On m'avait bien parlé d'un immeuble, mais moi, jeune
et inexpérimenté, je ne m'étais pas aperçu qu'il y avait
six héritiers là-dessus, et qu'en fait d'immeuble c'était
une baraque ! Tu n'as qu'à la boucler ! C'est trop fort !
Me reprocher d'avoir pris de temps en temps un apéritif
avec des collègues ! Tu aurais voulu que je reste là
toute la journée à te regarder digérer ? As-tu seulement,
pendant ces cinquante ans, prononcé une seule parole
intelligente ou drôle ? Ce n'est pas que tu te privais de
parler, oh! non. Tu n'as jamais cessé de me casser les
oreilles avec des sottises !

— Ah ! toi, toi ! dit la vieille en pleurnichant. Tu ne
crains donc pas Dieu pour parler ainsi ? Et c'est pour
cet homme-là que j'ai gâché ma vie, sans jamais quitter
mes casseroles ! Car, pour bouffer, tu étais un peu là !
Un vrai cochon. Je passais ma journée à te mijoter des
petits plats, et toi tu avalais tout sans un mot, sans
même me dire merci. Monsieur aurait voulu que je lui
tienne des discours brillants ! Et toi, m'as-tu jamais dit
quelque chose d'intelligent ? Plus d'une fois, la nuit,
j'ai voulu te demander de m'expliquer quelque chose...
j'étais jeune... toutes sortes de pensées me passaient
par la tête. Je regardais les étoiles et j'avais envie de
pleurer sans trop savoir pourquoi. J'aurais voulu savoir
ce qui se passait dans l'au-delà et d'autres choses
encore.... Bref, j'aurais bien voulu parler à quelqu'un,
mais toi, dès que je t'adressais la parole, tu me rabrouais :

« Laisse-moi tranquille, il est temps de dormir. » C'était tout ce que tu savais me dire. Jamais une parole humaine. Peut-être que tu n'avais rien à dire parce que tu ne savais rien ? Le 1er du mois, tu me lançais quelques pièces sur la table, comme à une bonne. Et quelles exigences ! Il m'est arrivé de manger une croûte de pain, tout juste salée avec mes larmes, pour te garder les bons morceaux. Tout cela pour que tu sois content. Mange donc, mon roi, mon chevalier, mon mari en or ! Et cela pendant cinquante ans. Dieu seul était témoin de mes larmes.... »

Elle avala un sanglot puis, levant la tête :

« Alors, on va la chercher, demain, notre médaille ? »

OLLE CARLE

Les Suédois aiment à lire dans Expressen *les spirituelles chroniques de Cello, pseudonyme de Olle Carle. Né en 1909, et père de cinq enfants, Olle Carle, journaliste et écrivain, montre un penchant particulier pour la satire de mœurs.*

PREMIER PRIX : UNE AUTO

HIER après-midi, je rencontrai mon ami A..., chef de publicité. Il descendait d'une voiture flambant neuve. La chose m'étonna un peu, M. A... étant une de ces personnes qui déclarent à tout bout de champ que, si l'on possède une once de raison, on n'achète pas d'auto. Il n'y avait donc que deux possibilités : ou bien M. A... avait été frappé de démence, ou bien cette voiture n'était pas la sienne. Lorsqu'il me cria : « Alors, comment trouves-tu ma nouvelle bagnole ? » je compris que ces deux possibilités se trouvaient réduites de moitié. Mais du génie à la folie il n'y a qu'un pas, et il est indubitable que M. A... avait été un homme très doué avant de perdre l'esprit.

« Alors, toi aussi ! m'écriai-je. Toi qui avais juré de ne jamais avoir d'auto ! Tu as gagné à la loterie ?

— A la loterie... enfin, une espèce de loterie, répondit-il. N'as-tu pas remarqué que depuis quelque temps les journaux annoncent sans cesse dans leurs placards publicitaires des concours dont le premier prix est une auto ? Des firmes de cosmétiques, d'alimentation, de savon se battent littéralement pour vous administrer des villas et des voitures de luxe. Tu me suis ?... Quand tu lis dans un journal : « *Trouvez une réponse à cette question : pourquoi employez-vous la poudre de Miss White ?* » qu'est-ce que tu fais ?

— Pas grand-chose....

— Mais si.... Il s'agit de trouver un slogan. On l'envoie bien entendu au nom de sa femme. A la vérité je n'aurais pas eu l'idée de prendre part à un concours de ce genre si Gustafsson — tu sais, celui avec qui je travaille — n'avait pas lui-même envoyé une réponse.... Ce n'est d'ailleurs pas bien malin pour quelqu'un comme lui, dont c'est le métier. Mais c'est mon métier aussi. A qui la faute si ma réponse a été meilleure que la sienne ?

— Raconte !

— Oh ! fit modestement M. A..., il n'y a pas grand-chose à raconter. J'ai commencé à réfléchir, d'abord pendant la journée, ensuite la nuit. A la fin, je ne pouvais plus dormir. Quand on n'a rien fait d'autre, toute sa vie, que de « penser slogans », on finit par être pris d'un besoin passionné de se dépasser soi-même.

— Une sorte de folie des grandeurs.... »

M. A... sourit, flatté, et continua :

« Sérieusement, j'étais sûr, cette fois-ci, de ne pas rater mon coup. Lorsqu'une idée germe, nuit après nuit, tout arrive soudain comme une inspiration divine. Ma femme et mes enfants furent pris de panique la nuit où je me réveillai en sursaut, criant : « *J'ai trouvé !* » Ils se calmèrent lorsqu'ils eurent compris de quoi il s'agissait : avant un mois nous serions propriétaires d'une belle voiture toute neuve, tandis que Gustafsson n'en aurait pas.

— Mais est-il bien juste que des spécialistes de la publicité prennent part à de tels concours ? Ça enlève au commun des mortels toute chance de gagner ! Enfin.... Et quelle impression ça t'a fait de recevoir une auto en récompense de ton génie ? »

A cette question, M. A... devint écarlate. Il y eut un silence, puis il avoua :

« Oh ! ce n'est pas à moi qu'il faut demander ça ! Ce n'est pas moi qui ai gagné le concours !

— Mais... cette voiture, alors, elle n'est pas à toi ?

— Si, mais qu'est-ce que tu aurais fait à ma place ? Quand, pendant un mois, ta femme et tes enfants ont cru que tu avais gagné une voiture, *tu es bien obligé d'en acheter une !*

— Et qui donc a gagné le concours ?

— Une certaine Mme Svea Pettersson, de Muggeryd, qui aura sûrement trouvé toute seule que « *La poudre de Miss White rend les joues plus belles* »....

— Eh ! La simplicité est la marque du génie. Tout de même.... Ne trouves-tu pas bizarre que ça puisse rapporter quelque chose à ces maisons de commerce, d'offrir ainsi des voitures de ce prix — et de se payer toutes ces annonces d'une demi-page ? Les gens achètent-ils plus de poudre pour ça ?

— Non, mais des autos.... Gustafsson vient d'acheter la même ! »

HASSE Z. (HANS ZETTERSTRÖM)

*Hasse Z, de son vrai nom Hans
Zetterström, né et mort à Stockholm
(1877-1946), un des meilleurs prosa-
teurs suédois, a déployé un talent très
personnel dans ses portraits et scènes
d'enfants, où il mit autant d'esprit
lucide que d'ironie.*

LE MALHEUR D'ANNA-LISA

MADAME GÖRANSSON avait passé l'été à la campagne. Dans un chalet, loin dans l'archipel.
Elle était enchantée. Les enfants étaient bronzés
par le soleil, Mme Göransson elle-même ressemblait à
Mme Göransson jeune fille, et Göransson avait maigri
de six kilos en canotant tous les matins à la poursuite
d'un brochet, hélas! plus maigre encore que lui. Si maigre
même qu'on ne le voyait jamais.

Göransson est négociant en produits coloniaux. C'est un assez bon commerce. Le café, le thé, les fruits du Midi sont toujours très demandés. Voilà pour Göransson.

Anna-Lisa a quatre ans. Elle est la fille de Göransson. C'est la cadette. Sa sœur Élisabeth, qui n'a rien à faire dans cette abominable histoire (comme on le verra bientôt), est de deux ans son aînée. Elle a donc six ans. Comme le temps passe !

Depuis son retour, Mme Göransson prend son café quotidien avec Amélie, chez Berg. Elle ne s'offre que trois pâtisseries, car « les temps sont durs.... Le sel a augmenté de quatre *öre*[1] et les myrtilles sont hors de prix, on ne sait plus comment s'en tirer », etc.

Après le café, Mme Göransson va se promener avec Amélie dans le Jardin royal afin qu'Anna-Lisa puisse jouer dans le sable. Mme Göransson et Amélie sont assises sur un banc et regardent passer les gens.

C'est maintenant que l'histoire commence.

Anna-Lisa est fatiguée de bêcher le sable. Elle trouve très désagréable qu'un petit garçon qu'elle n'a jamais vu auparavant, auquel elle n'a pas été présentée, et qui a des taches de son sur le nez, lui verse du sable dans l'encolure de sa robe : ça gratte. Anna-Lisa pose donc sa pelle et son seau et va s'asseoir en silence sur le banc, près de tante Amélie, car, à côté de maman, il y a un monsieur obèse à la face violacée qui, de temps en temps, souffle : *Poh ! Poh !*

Anna-Lisa n'est pas à son aise sur le banc. Les bancs du Jardin royal sont vieux, on y est mal assis. Quand le conseil municipal fera-t-il quelque chose ?

Pour être mieux, Anna-Lisa croise ses jambes. Ce qu'une dame peut très bien se permettre si elle a quatre ans. Une dame de vingt ans ne peut pas, à cause de

---

1. Monnaie suédoise.

l'éducation, de la timidité, des préjugés et surtout de la jupe moderne.

C'est la jambe gauche qu'Anna-Lisa a posée sur le banc. Soudain, sans qu'elle puisse l'en empêcher, le pied de ladite jambe glisse entre les deux planches du banc. Anna-Lisa tente aussitôt de retirer le pied de la fente, mais elle n'y réussit pas. Le pied est pris. Sous le banc, il dépasse.

Cependant, Mme Göransson dit :

« Dès demain, je mettrai toutes les provisions sous clef, la bonne mange comme quatre, elle me ruinera ! Adolphe dira ce qu'il voudra ! »

Amélie :

« Je crois que je vais prendre une femme de ménage au moins on n'est pas obligé de la nourrir. »

De son côté, le monsieur âgé à la face violacée continue à faire : *Poh ! Poh !*

A cet instant, Anna-Lisa pousse un cri. Un cri strident qui empli tout l'air compris entre Sa Majesté le roi et la rue Wahrendorff. Le petit garçon aux taches de rousseur observe la scène avec discrétion. Sur son visage, on peut lire clairement sa pensée : c'est ma faute. Puis, sans se retourner, il part et prend le chemin le plus direct vers la maison de ses parents dans le Vasastan[1]. Ce sont des gens très honnêtes, universellement respectés. La mère tient une charcuterie. Ses boudins sont les meilleurs du quartier.

Anna-Lisa continue de crier. Sa mère et Amélie se lèvent précipitamment. Le vieux monsieur dit :

« L'enfant crie. »

Amélie répond d'un ton narquois (elle peut être narquoise quand elle veut) :

« On le dirait, en effet ! »

1. Quartier de Stockholm.

Mme Göransson s'exclame :

« Mon Dieu ! Mon Dieu ! Le pied de la petite est pris entre les planches ! Sors ton pied, Anna-Lisa ! Au secours, Amélie ! »

Le pied est coincé. Amélie tire Anna-Lisa par le haut, Mme Göransson, accroupie par terre, essaie de dégager le pied par en bas. Anna-Lisa crie.

Le vieux monsieur se lève et constate :

« Son pied est coincé.

— Nous le savons, merci ! dit Amélie.

— Mon Dieu ! Mon Dieu ! Qu'allons-nous faire ? Nous devions être rentrées pour le dîner ! s'exclame Mme Göransson. »

Anna-Lisa crie.

Des passants s'arrêtent et font cercle autour du groupe. Des gens qui se promenaient dans la rue de l'Arsenal s'aperçoivent qu'il se passe quelque chose et accourent.

Le vieux monsieur regarde Anna-Lisa et dit :

« Il y a trois moyens de la tirer de là. Ou il faudra scier le banc, ou bien il faudra laisser l'enfant ici jusqu'à ce qu'elle ait suffisamment maigri pour que sa jambe sorte facilement, ou bien il faudra amputer le pied.

— Animal ! dit Mme Göransson.

— On ne peut pas scier le siège, continue le vieux monsieur, sans la permission du conseil municipal. Il faut environ quatre mois pour l'obtenir.

— Ne vaudrait-il pas mieux faire appeler une ambulance ? dit une femme, qui voyant Mme Göransson accroupie croyait qu'elle avait un malaise.

— Il n'y a pas d'ambulances prévues pour le transport des bancs adhérant aux enfants, dit le vieux monsieur. Je suppose que le banc doit suivre. »

Le rassemblement est maintenant si considérable qu'un agent en faction dans la rue de l'Arsenal lui tourne le dos pour éviter d'être obligé de s'en mêler.

Anna-Lisa crie toujours.

« Qui a battu cette enfant ? demande une dame âgée qui faisait les courses pour son mari alité (de l'eau dans le genou). Il ne faut jamais battre les enfants ! Rappelez-vous cela ! dit-elle à Amélie. On obtient les mêmes résultats avec la douceur. »

Amélie ne répond pas. Elle est occupée à repousser un commissionnaire qui suggérait qu'on renversât le banc et qu'on le secouât pour libérer l'enfant.

Mais voilà un agent. Le silence se fait. On laisse passer le policier qui dit à Mme Göransson, toujours par terre :

« Qu'est-ce que vous faites à cette enfant ? Levez-vous ! »

Mme Göransson se lève. L'agent jette un coup d'œil sur Anna-Lisa, puis déclare :

« Son pied est pris.

— C'est exactement ce que je disais il y a une demi-heure, dit le vieux monsieur, mais personne n'a voulu me croire ! »

Au même instant, deux compagnies de la garde Göta débouchent dans la rue de l'Arsenal. Ils reviennent de la parade, musique en tête. Les tambours retentissent, le son des cuivres franchit les tilleuls du Jardin royal. Autour d'Anna-Lisa, le rassemblement se disloque de lui-même. Tout le monde court regarder les militaires. Seul l'agent reste avec Mme Göransson, Amélie et Anna-Lisa.

« Mesdames, si vous promettez de n'en parler à personne, je vais dégager la fillette, dit le policier.

— Soyez sans crainte ! » répondent Amélie et Mme Göransson.

Le policier sort de sa poche un grand couteau.

« Malheureux ! Qu'allez-vous faire ? » s'écrie

Mme Göransson, qui est une mère d'enfant coincée dans un banc.

Pour toute réponse, le policier commence à taillader le banc, non près d'Anna-Lisa, mais à l'autre bout. Ayant terminé, il fait glisser Anna-Lisa vers l'échancrure qu'il vient de pratiquer, puis il soulève le pied prisonnier. Anna-Lisa est libre.

« Vous êtes très aimable », dit Mme Göransson. Elle ajouta par habitude :

« Combien je vous dois ?

— Je vous en prie, mesdames ! dit le policier en saluant, c'est un plaisir de vous avoir rendu ce petit service ! »

Amélie et Mme Göransson marchent maintenant dans l'allée. Elle tiennent Anna-Lisa entre elles.

Arrivées à Hamngatan, Amélie dit :

« C'était un galant homme, cet agent. Il me rappelle un peu ton mari.

— Mon mari ! s'écrie Mme Göransson en s'arrêtant au milieu de la rue, est-ce que mon mari ressemble à un sergent de ville ? Dis donc, Amélie ! »

Après quoi, je les ai perdues de vue.

MICHEL ZOSCHTCHENKO

> *Fils d'un peintre, Michel Zoschtchenko,*
> *né en 1895, mort il y a quelques mois,*
> *fit ses débuts dans la presse quotidienne*
> *en 1918 à Pétrograd et devint un des*
> *meilleurs humoristes de l'U. R. S. S.*
> *Critiqué en 1946 par Jdanov, il fut*
> *mis à l'index, mais réhabilité par la*
> *suite. Dans son récit intitulé* Le Cro-
> chet, *il évoque un souvenir de guerre.*

LE CAOUTCHOUC

IL N'EST PAS DIFFICILE de perdre une chaussure de caoutchouc dans le tramway aux heures d'affluence : vous êtes serré de tous côtés ; si quelqu'un vous marche sur le talon, vous voilà déchaussé en moins de rien.

C'est ce qui m'est arrivé. Je suis monté dans le tram, mes deux caoutchoucs aux pieds. A la sortie, je n'en avais plus qu'un. La chaussure était à sa place, la chaussette aussi, ainsi que le pantalon, mais le caoutchouc manquait. Que faire ? Je ne pouvais tout de même pas courir après le tramway. J'enveloppai donc dans un journal le caoutchouc qui me restait, et m'en fus.

« Après mon travail — me dis-je — je me mettrai en quête. Je ne peux pas laisser perdre ainsi un objet aussi rare par le temps qui court. Je finirai bien par le retrouver. »

Dès la sortie du bureau, je commençai mes recherches. Avant tout, je pris conseil d'un receveur de mes amis.

« C'est une vraie chance pour toi, me dit-il, de l'avoir perdu dans une de nos voitures. En ce qui concerne les lieux publics en général, il n'y a aucune garantie d'y retrouver quoi que ce soit. Mais l'organisation des tramways, c'est la sécurité même : nous avons un dépôt d'objets trouvés. Tu n'as qu'à y aller pour reprendre ton bien.

— Merci, dis-je à mon ami, tu m'enlèves un poids.... Mon caoutchouc est encore bon, il a deux saisons à peine ! »

Le lendemain, je me présentai au dépôt :

« N'y aurait-il pas moyen de retrouver ici un caoutchouc que l'on m'a ôté du pied hier dans le tramway ?

— C'est possible, me répondit-on, mais comment est-il, ton caoutchouc ?

— Tout ce qu'il y a de plus ordinaire.... Du 40....

— Nous avons peut-être douze mille 40. Des signes distinctifs ?

— Toujours les mêmes : talon usé, plus de molleton à l'intérieur....

— Des caoutchoucs de ce genre, nous en avons plus d'un millier. Pas d'autres signes particuliers ?

— Si, la pointe est presque arrachée. Le talon tient à peine, mais les montants sont encore en bon état.

— Assieds-toi un petit peu. On va aller voir. »

J'attendis. Tout à coup, je vis apparaître un employé

tenant mon caoutchouc. J'en fus ému. « Voilà, pensai-je, un organisme qui fonctionne pour de bon. De vrais idéalistes, ces gens-là ! Quel mal se sont-ils donné pour mon caoutchouc ! »

« Mes amis, déclarai-je aux employés du bureau, jusqu'à ma mort, je me souviendrai de votre bienfaisante activité. Donnez-moi cet objet retrouvé, que je l'enfile. Et merci !

— Pas si vite, cher camarade ! Nous ne pouvons pas te le donner comme ça.... Nous ne savons pas si c'est bien toi qui l'as perdu.

— Mais c'est moi, m'écriai-je, sans aucun doute : je puis vous en donner ma parole d'honneur !

— Nous te croyons volontiers, et te comprenons. Il est tout à fait probable que tu as perdu ce caoutchouc. Mais nous ne pouvons te le donner ainsi : il faut nous apporter un certificat en bonne et due forme, délivré par ton Comité local, témoignant que tu as véritablement perdu un caoutchouc dans un wagon de tramway, et aussi un certificat de domicile. A ce moment-là, sans faire traîner la procédure, on te remettra l'objet que tu as légalement perdu. »

Je répliquai :

« Voyons, mes amis, les faits étant ignorés à mon domicile, comment le Comité local me donnerait-il le certificat que vous me demandez ?

— Ils te le donneront. C'est à eux de le faire. Ils sont là pour ça ! »

Le lendemain, je rendis visite au président du Comité. Je lui exposai mon cas.

« Donnez-moi ce papier, car mon caoutchouc est en péril !

— L'as-tu vraiment perdu ? Ou veux-tu nous embobeliner pour t'approprier tout simplement un objet de consommation courante qui ne t'appartient pas ?

— C'est pure vérité, je l'ai perdu hier dans le tramway !

— Il est évident, remarqua le président, que je ne puis me fier à ta parole. Mais si tu pouvais m'apporter un certificat, délivré par le dépôt des tramways, comme quoi tu as vraiment perdu ton caoutchouc, ce serait différent, je pourrais à mon tour te faire le papier que tu me demandes.

— Mais puisque ce sont eux qui m'ont envoyé chez vous....

— Alors, fais une demande par écrit.

— Une demande de quoi ?

— Écris : « *A telle date, j'ai constaté...* », etc. Et tu t'engages à ne pas quitter la ville avant l'aboutissement de l'enquête. »

Je rédigeai la demande. Le lendemain, le président me délivra mon certificat en règle.

Muni de ce papier je retournai au dépôt, et là, croyez-le ou non, on m'a rendu mon caoutchouc sans autre formalité. Voilà comment travaille ce service. En moins d'une semaine de démarches, j'ai pu recouvrer mon bien.

Ma seule malchance, c'est qu'au cours de mes démarches j'ai perdu mon autre caoutchouc : j'en avais fait un paquet, je le portais sous le bras. Où avais-je bien pu le poser ? Impossible de me souvenir ; je suis certain en tout cas de ne pas l'avoir laissé dans le tramway.

Cette fois, je ne sais comment orienter mes recherches.

Mais je garde toujours mon caoutchouc retrouvé. Quand je me sens découragé, sa vue me réconforte : il y a tout de même des services publics qui fonctionnent rapidement.

LE CROCHET

L<small>E MATIN</small>, des avions ennemis commencèrent à tournoyer au-dessus de notre navire.

Les six premières bombes tombèrent à l'eau. La septième atteignit la poupe. Des flammes jaillirent. Tous les passagers se jetèrent à la mer.

Je ne me rappelle plus sur quoi je comptais lorsque je sautai par-dessus bord, mais je devais bien compter sur quelque chose puisque je ne savais pas nager. Je coulai.

J'ignore en vertu de quelle loi physique ou chimique je remontai à la surface. Ce que je sais, c'est qu'en me débattant je réussis à saisir quelque chose comme une poignée en forme de crochet qui émergeait. Je m'y agrippai.

Cramponné à ce crochet, que je n'aurais lâché pour rien au monde, je rendais grâce au Ciel de m'avoir laissé la vie sauve et à la Providence d'avoir planté en mer une de ces commodités sans doute destinées à signaler des bancs de sable ou des récifs.

Tout à coup, je vois quelqu'un qui vient vers moi à la nage. Je le distingue : c'est un civil dans mon genre. L'air bien convenable, avec un veston couleur sable. Je lui montre le crochet, il s'en saisit aussitôt.

Nous nous y tenons tous deux en silence, car nous n'avons rien à nous dire.

J'avais pourtant commencé par lui demander dans quelle branche il travaillait. Mais il n'avait rien répondu. Il s'était contenté de recracher l'eau qui lui avait empli la bouche et de hausser les épaules. Je compris alors le manque de tact de ma question posée dans l'eau. Aussi, bien que j'eusse été curieux de savoir s'il se déplaçait à titre officiel ou bien s'il voyageait pour son propre compte, je ne posai pas d'autre question.

Après un silence qui dura trois heures, mon interlocuteur, si je puis appeler ainsi un compagnon aussi silencieux, s'écria :

« Un remorqueur ! »

En effet, un bateau de sauvetage était apparu. Il ramassait les naufragés qui tenaient encore sur l'eau.... Nous commençâmes à crier, mon compagnon et moi, faisant de grands gestes pour que les marins pussent nous apercevoir. Étions-nous devenus transparents ? On ne nous remarquait pas.

Le bateau semblait se refuser à venir vers nous.

Je me décidai alors à me débarrasser de mon veston, puis à ôter ma chemise, que j'agitai désespérément comme pour dire : « Nous sommes ici ! Soyez assez aimables pour venir.... »

Mais le remorqueur n'approchait toujours pas. Je rassemblai mes dernières forces pour secouer encore ma chemise : « Comprenez donc notre situation, nous sommes en train de périr, sauvez-nous ! »

Il y eut un remue-ménage sur le bateau. Quelqu'un se pencha par-dessus bord et nous cria à l'aide d'un porte-voix :

« Eh ! bande de crétins, à quoi vous tenez-vous ? C'est une mine ! »

Ce mot parut électriser mon compagnon. Il fit un bond de côté et, s'écartant, comme de la peste, de ce qui l'avait sauvé, partit à la nage vers le navire.

Instinctivement, je lâchai aussi le crochet, mais ce fut pour m'enfoncer dans l'eau. Je ne sais comment je rattrapai la poignée, mais je la tins ferme.

De nouveau, l'homme au porte-voix hurla :

« Eh, toi, là-bas ! Ne touche pas à la mine ! »

Alors, réunissant toutes les forces qui me restaient, je criai :

« Eh, les gars ! Sans la mine, je suis perdu, je coule ! Mettez-vous à ma place ! Venez me chercher ! Soyez charitables.... »

Le porte-voix, impitoyable, répondit :

« Pouvons pas avancer, tête d'idiot ! Nous sauterions sur la mine. Si tu ne viens pas, nous partons ! »

Elle était bien bonne ! Aller à la nage quand on ne sait pas nager.... Je m'accrochai de plus belle à ma poignée. Nulle force au monde n'aurait pu m'en arracher.

Je criai une fois encore :

« Marins, mes frères ! Très estimés camarades de la Marine ! Trouvez donc quelque chose pour sauver une précieuse vie humaine ! »

Alors, un membre de l'équipage se décida à me jeter un câble. En même temps, des hurlements jaillissaient de toute part :

« Ne gigote pas ! Que le diable t'emporte ! Tu vas la faire sauter ! »

Comme si je pouvais conserver mon sang-froid ! « C'est eux, me disais-je, qui m'exaspèrent avec leurs cris ! Il aurait bien mieux valu que je ne sache pas que c'était une mine.... Mon comportement aurait été plus calme. Mais, à présent, comment ne pas m'agiter ? J'ai peur de la mine... et, sans la mine, j'ai encore plus peur. »

Enfin, je saisis le câble. Avec précaution, je le nouai autour de ma taille. Et je criai :

« Allez donc ! Tirez, que diable ! J'en ai assez de vos hurlements ! »

Les marins commencèrent à tirer sur le câble, mais celui-ci ne semblait d'aucun secours. Malgré moi, je m'enfonçais. Déjà j'allais au fond.

Soudain, je sentis que l'on me repêchait et que je remontais à la surface.

J'entendis de grands cris, sans porte-voix cette fois. On s'acharnait sur moi.

« Il n'y a que toi pour nous donner tant de tracas ! Puisses-tu crever ! En pleine guerre, tu t'accroches à une mine ! Et avec ça tu ne sais pas nager !... Non, vraiment, tu aurais mieux fait de sauter avec ta mine. Ça nous aurait débarrassés du même coup d'elle et de toi ! »

Naturellement, je me taisais. Que peut-on trouver à rétorquer à des gens qui viennent de vous sauver la vie ? D'autant plus que je mesurais pleinement mon incompétence en matière militaire comme en technique. Ne pas savoir distinguer un simple crochet de... Dieu sait quoi !

Mon compagnon d'infortune était là, lui aussi. Et il me sermonnait comme les autres : de quel droit lui avais-je désigné la poignée de la mine pour s'y accrocher ? A son avis, c'était un acte de piraterie. Un crime qui me rendait passible des travaux forcés sous-marins *(de trois à cinq ans)*.

Je ne trouvai rien non plus à lui répliquer. Je n'avais aucune envie de répondre, car mon humeur s'était gâtée : je venais de m'apercevoir que je n'avais plus de chemise. Le veston était là, mais pas ma chemise....

Je pensai d'abord à demander au capitaine de faire demi-tour pour voir si ma chemise ne flottait pas. Mais, devant le sombre visage de l'officier, je n'osai rien demander.

J'avais probablement laissé ma chemise sur la mine. Je devais, en ce cas, la considérer comme perdue.

Ce jour-là, je me suis fait la promesse solennelle d'étudier la technique militaire. Dans ce domaine, il ne fait pas bon rester à la remorque.

COPYRIGHTS

INDE. — *L'antidote* — *Dans le sillage du gilet vert : copyright by* R. K. Narayan, Agence Bradley *and* The Wesley Press, Mysore (« *Lawley Road* »).

ITALIE. — *Pour Bellovesus : copyright by* Massimo Bontempelli *and* Monadadori, Milan. — *L'incendie du Palais Folena* — « *Paul très mal* » *: copyright by* Achille Campanile *and* Éditions Rizzoli, Milan. — *Dans le train : copyright by* Achille Campanile, Noël Felici *and* Éditions Rizzoli, Milan (« *Ma che cosa è quest' amore?* »). — *Monsieur X...* — *La fiche : copyright by* Giovanni Guareschi, Agence Odette Arnaud *and* Éditions Rizzoli, Milan.

POLOGNE. — *Le couple idéal : copyright by* Tadeusz Rózewicz *and* Panstwowy Instytut Wydawniczy, Varsovie. — *Les gants : copyright by* Mariusz Kwiatkowski *and* Panstwowy Instytut Wydawniczy, Varsovie.

SUÈDE. — *Premier prix : une auto : copyright by* Olle Carle *and* Almqvist et Wiksell, Stockholm (« *Förlät en yngling* »). — *Le malheur d'Anna-Lisa : copyright by* Hasse Zetterström *and* Albert Bonnier, Stockholm (« *Anna-Clara och hennes broder* »).

U.R.S.S. — *Le caoutchouc* — *Le crochet : copyright by* Michel Zoschtchenko *and* V./O. Mejkniga.

TABLE DES MATIÈRES

LIBRAIRIE HACHETTE
Paris-N° 255
Dépôt légal : 4° trim. 1958

Imprimé
en France.

Imprimerie CRÉTÉ
Paris, Corbeil-Essonnes
N° 859-I-11-1958